공터에서

김훈 장편소설

공터에서

해냄

차례

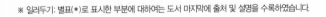

※ 일러두기: 별표(*)로 표시한 부분에 대하여는 도서 마지막에 출처 및 설명을 수록하였습니다.

아버지

마동수(馬東守)는 1979년 12월 20일 서울 서대문구 산외동 산18번지에서 죽었다. 마동수는 1910년 경술생(庚戌生) 개띠로, 서울에서 태어나 소년기를 보내고, 만주의 길림(吉林), 장춘(長春), 상해(上海)를 떠돌았고 해방 후에 서울로 돌아와서 6·25전쟁과 이승만, 박정희 대통령의 시대를 살고, 69세로 죽었다. 마동수가 죽던 해에, 중앙정보부장 김재규가 대통령 박정희를 권총으로 쏘아 죽였다. 박정희는 5, 6, 7, 8, 9대 대통령을 지냈다. 박정희는 심장에 총알을 맞고 쓰러져서, '괜찮다, 나는 괜찮아……'라고 중얼거렸다. 마동수의 죽음과 박정희의 죽음은 '죽었다'는 사실 이외에 아무 관련이 없다. 마동수의 생애에 특기할 만한 것은 없다.

마동수는 암 판정을 받은 지 3년 만에 죽었다. 간에서 시작된 암은 위와 창자로 퍼졌고 등뼈 속까지 스몄다. 뼈가 삭아서 재채기를 하다가 관절이 어긋났다. 마동수의 암은 느리고 길었다. 몸이 무너져갈수록 암의 세력은 번성했고, 마동수의 숨이 끊어진 후에도 암은 사체 속에서 사흘 동안 살아 있다가 사체가 매장될 때 소멸했다. 마동수의 암은 인체에 기생하지만 인체와는 별도로 독립되어 있었다.

산외동 산18번지는 북한산 서북쪽 언저리의 바람받이였다. 25평짜리 새마을형의 블록 가옥들이 좁은 골목을 따라 길게 늘어서 있었다. 지대가 높아서 수돗물이 자주 끊겼고 겨울에 길바닥이 얼어붙으면 청소차가 올라오지 못했다. 지게로 분뇨를 끌어냈고 연탄과 먹을 물을 들였다. 마동수가 죽던 날은 최저기온이 영하 10도였다. 그날, 날이 흐려서 마을에 연탄가스 냄새가 자욱했다.

마동수는 혼자서 죽었다. 마동수가 죽을 무렵에 배우자 이도순(李道順)은 65세였다. 이도순은 연탄 두 장을 새끼줄에 매달아 들고 얼어붙은 비탈길을 올라오다가 넘어져서 고관절에 금이 갔다. 이도순은 시립 병원에 입원해 있었고, 기

8

동을 하지 못하자 기억이 흐려지고, 혼잣말을 했다. 치매의 초기 증세였다.

마동수가 죽어갈 때 마동수의 차남 마차세(馬次世)는 상병 계급장을 달고 동부전선 GOP 부대에 복무하고 있었다. 휴가 나온 마차세 상병이 자리를 지키면서 아버지의 밑을 살폈고 대소변을 받아냈다. 마차세는 환자의 배에 관을 꽂고 복수(腹水)를 빼내는 법을 간병인한테 배웠다. 암세포가 녹아 나와서 복수는 걸쭉했다. 마차세는 식염수로 관을 닦았다. 12월 20일 저녁 마차세가 외출한 사이에 마동수는 빈방에서 죽었다.

마지막 날숨이 빠져나갈 때 마동수의 다리가 오그라졌다. 마동수는 모로 누워서 꼬부리고 죽었다. 외출에서 돌아와서 안방 문을 열었을 때, 마차세는 아버지의 꼬부라진 육신을 보고 죽음을 직감했다. 아버지의 사체는 태아처럼 보였다. 죽은 육신의 적막은 완강했다. 돌이킬 수 없고, 말을 걸 수 없었다.

아, 끝났구나, 끝났어……. 마차세 상병은 긴 한숨을 내쉬었다. 사람의 생애는 그 사람과 관련이 없이, 생애 자체의 모든 과정이 스스로 탈진되어야만 끝나는 것 같았다. 그러므로, 사람이 죽어도 그의 한 생애가 끌고 온 사슬이 여전히 길게 이어지면서 살아 있는 사람들을 옥죄이게 될 수도 있다는 것을 마차세는 예감했다. 끝이 아닐 수도 있다는 예감은 끝났다는 사실보다 더 절박했다.

귀대 날짜가 이틀 남아 있었다. 마차세는 아버지의 주검 위에 홑이불을 덮고 큰길로 내려왔다. 마차세는 공중전화로 부대에 아버지의 죽음을 보고했다. 대대 당직사관이 전화를 받았다. 복무 규칙에 따라서 닷새간 휴가를 연장해 주겠다, 전우들의 조의를 대신 전한다, 초상 잘 치르고 귀대 시간을 엄수하라, 귀대하면 사망신고서 사본, 사망진단서 사본을 제출하고 대대장의 후결을 받으라고 당직사관은 말했다.

마동수는 죽기 전 6개월 동안 혼수상태에서 숨을 헐떡이면서 섬망(譫妄)의 헛소리를 지껄였다. 가끔씩 정신이 돌아올 때 마동수는 실눈을 뜨고 벽시계를 보았다. 시간은 흐린 날의 저녁 무렵과 같았다. 시간은 마동수의 생명과는 무관하게, 먼 변방으로 몰려가고 있었는데, 마동수의 육신은 그 시간의 썰물에 실려서 수평선 너머로 끌려가고 있었다.

마동수의 마지막 의식은 죽음이 이끄는 썰물에 실려서 먼 수평선 너머로 흘러갔다가 다시 밀물에 얹혀서 이승의 해안으로 떠밀려 오기를 세 번 거듭했다. 숨이 끊어지기 전에 혼백이 먼저 육신을 떠나서 멀어졌고 다시 몸속으로 돌아왔다.

마동수의 마지막 의식은 시간의 파도에 실려서, 삶과 죽음 사이를 왔다 갔다 하다가 세 번째 썰물에 실려 저편으로 아주 건너갔고, 다리가 오그라졌다.

저기로구나……. 여기서 물이랑 몇 개를 더 넘으면 저기가 바로 거기로구나…….

라고 속으로 중얼거릴 때 물때가 바뀌어 마동수의 혼백은 다시 이승으로 실려 왔다. 이승의 방 안에는 벽시계가 걸려 있었고, 초침이 9에서 10으로 올라가고 있었다. 초침이 12를 지날 때, 마동수의 혼백은 다시 썰물에 끌려 나갔다. 물이랑 너머에는 방향이 없어서 어느 쪽도 동서남북이 아니었다. 여기로구나, 여기가 바로 거기로구나. 다 왔구나…….
그 물이랑 너머에서 죽음의 세상은 펼쳐져 있었다. 생명의 맨 끝자락에서 모든 감각이 바스러졌고, 그 자리에서 죽음의 세계에서만 작동되는 낯선 감각이 돋아났다. 그것은 청각도 시각도 아니었지만 그 감각으로 마동수는 물이랑 너머의 세상을 감지할 수 있었다. 거기에서 시간은 발생 이전의 습기로 엉겨 있었고 진행의 방향이 정립되지 않은 채 안개로 풀어져서 허공에 밀려다녔다. 그 뿌연 시간의 안개가 갈라지는 틈새로 물이랑 저편의 세상이 언뜻 보이는 듯했다.

거기는 눈 덮인 만주의 길림, 장춘이거나 일본군의 공습을 받는 상해나 대련(大連)이었다. 거기는 식민지의 서울 남산경찰서 뒷골목이거나 인공(人共) 치하의 서울이거나 피난지 부산(釜山)이었다. 만주의 눈 덮인 황무지에서는 변발에 중복(中服) 차림의 망명가들이 눈구덩이 속에서 소총을 끌어안고 아편을 피웠다. 폭격기 편대가 상해 도심 상공에 출격하면 도로와 건물 위에 비행 물체의 그림자가 흘러갔다. 사람들이 비명을 지르며 몰려가고 쓰러졌다. 빌딩이 깨지면서 벽돌과 유리가 쏟아져 내렸고, 퇴로가 막힌 부자들이 고층에서 지폐를 뿌렸다. 번화가 쇼윈도 앞에 나와 앉은 남루한 사내들은 폭격기를 쳐다보며 마작을 두었다.

식민지의 서울 남산경찰서에서는 불령(不逞)한 조선인들이 고문당하는 신음 소리가 경찰서 담장 밖 해장국 골목에까지 들렸다. 경찰관들이 야근하는 날이면 신음 소리는 초

저녁부터 새벽까지 들렸다. 피난지 부산의 해운대 바닷가에서 피난민들은 바다 쪽으로 엉덩이를 까고 앉아서 똥을 누었다. 해운대는 모래밭 경사가 완만하고 파도가 순해서 똥 누기에 좋았다. 똥 누는 대열은 모래밭 저쪽까지 이어졌다. 피난민들은 바닷물로 똥구멍을 닦았다. 똥 덩이들이 파도에 떠서 해안으로 밀려왔다. 갈매기들이 똥 덩이를 파헤치며 끼룩거렸다.

물이랑 저편의 풍경들은 서로 뒤섞였고 언제 어디인지 식별할 수 없는 기억들이 포개져 있었다.

여기가 아니다. 이건 이승이다. 지나온 세상이라고……. 죽어서 여기에 다시 올 리가 없어. 이건 아니야. 거기가 아니야…….

마동수는 파도에 실려 가면서도 고개를 저었다. 그것은 마동수가 살아온 이승의 모습이기는 했으나, 거기에는 사람의 소리, 짐승의 소리, 비바람의 소리도 생겨나지 않아서 풍경은 오직 적막했다. 거기에서 죽은 자들은 끝없는 벌판을 제가끔 건너가게 되어 있어서, 서로 만날 일이 없었다. 바람이 불어서 안개의 틈새가 메워지고, 마동수는 다시 이부자리 위로 떠밀려 왔다. 그때 마동수는 얼핏 혼수에서 벗어났다. 천장의 도배지 무늬가 마동수의 의식을 잠깐 붙들어주었다. 그 도배지는 저승의 무늬로 보였다. 세 번째 썰물에 실려서 마동수의 의식은 수평선 너머로 끌려갔고, 다리가 꼬부라졌다. 마동수는 죽기 직전에 본 죽음의 세상의 날씨를 아무에게도 말할 수 없었다. 무슨 말을 하려 했는지, 사체는 입을 벌렸고 턱에 침이 말라 있었다. 마동수는 모로 누워서 혼자서 죽었다.

동부전선

소총 가늠구멍 속에서, 잇달린 산들이 출렁거렸다. 바람이 산봉우리를 훑어서 고지마다 눈이 회오리쳤다. 바람은 눈보라를 몰아서 동해로 나아갔다. 천지간에 눈 비린내가 자욱했다. 달이 뜨자 골짜기의 어둠이 더 짙어졌고 눈 덮인 봉우리에 푸른빛이 스몄다. 팽팽한 밤하늘에서 별들은 추위에 영글어갔다. 밝은 별 흐린 별이 뒤섞여 와글거렸는데, 귀 기울이면 아무 소리도 들리지 않았다. 눈 덮인 산맥은 인간과는 무관하게 출렁거렸으나 그 흐린 산맥이 인간을 향해 내뿜는 적개심을 초병들은 감지하고 있었다. 대통령이 피살된 후 비상경계는 계속되었고, 별들은 추위가 깊어질수록

뚜렷했다.

　마차세 상병은 07시에 매복 진지에서 철수했다. 마차세는 15일간의 정기 휴가를 받아 출발하게 되어 있었다. 그날 새벽 1100고지의 최저기온은 영하 25도였다. 군화 속에서, 언 발가락은 아무런 감각도 없이 남의 물건처럼 멀었는데, 그 멀고 먼 발가락의 고통은 불로 지지듯이 달려들었다.

　서울 집에는 휴가를 알리지 못했다. 산외동 산18번지 산비탈 바람받이에서 아버지의 마른 나무토막 같은 육신이 남은 숨을 쉬고 있을 것이었다. 1100고지 매복 진지에서 아버지, 어머니, 형은 멀어서 닿을 수 없는 외계(外界)의 환영처럼 느껴졌다. 그리고 그 먼 존재들은 군화 속 언 발가락의 고통처럼 한 치의 여백이 없이 바싹 달려들었다. 혈연은 1100고지의 발 시려움 같은 것이었는데, 휴가가 다가오면 그 혈연의 끈은 마차세를 더욱 바싹 조여왔다.

　북한군 GP는 북방한계선에서 1킬로미터 정도 남쪽으로 내려와 있었다. 양측 GP는 벼랑 끝에 매달린 둥지처럼 보였다. 콘크리트 더미에 총구멍이 뚫어져 있었고 그 구멍으로 서로를 조준하고 있었다. 망원경을 들이대면 GP 너머 북한

군 진지의 병사들이 보였다. 북쪽 병사들은 양지쪽에서 모포를 말리거나 군화를 벗어서 시린 발가락을 주물렀다. 바지를 내리고 오줌을 누면 오줌 줄기에서 허연 김이 퍼졌다. 키가 작고 강파른 몸매들이었다. 저, 나와 비슷하게 생긴 자들, 그러나 인연 없는 자들, 저 발 시려운 자들, 허연 김 나는 오줌을 갈기는 자들이 적(敵)이라는 사실에 생각이 미치면 마차세는 다리에 힘이 빠졌다. 저들도 망원경 구멍을 이쪽으로 들이대고 초병들의 입에서 나오는 허연 김을 보고 있을 것이었다. 가늠구멍 안에서, 추위는 산에 가득 차 있었으나 조준할 수는 없었다.

근무를 마친 매복조는 GOP 통문을 나와서 당직사관 앞에 도열했다. 마차세는 실탄과 방탄복을 반납했다. 매복조들은 땅을 향해 빈총을 격발시켜서 이상무를 확인했다.

―수고했다. 추웠나?

초병들은 대답하지 않았다. 당직사관은 말했다.

―여름은 덥고 겨울은 춥다. 이것은 본래 그런 것이다. 알겠냐!

초병들이 합창으로 대답했다.

―네, 알겠습니다.

—제군들은 전장(戰場)에 있다. 알겠냐!

—네, 알겠습니다.

—알았으면 돌아가서 취침하라.

필승, 근무 끝. 초병들은 고함쳐서 거수경례를 바치고 내무반으로 돌아갔다.

마차세는 휴가복으로 갈아입고 대대본부로 갔다. 철책선에서 대대본부까지는 7부 능선을 따라서 5킬로미터였다. 새벽에 다시 눈이 내렸다. 경계 근무를 마친 병사들이 다시 불려 나와 작전 도로의 눈을 치웠다. 중사가 작업을 지휘했다.

—제설 작업의 목적은 눈이 안 온 것처럼 해놓는 데 있다.

라고 중사는 소리쳤다.

도로 왼쪽으로 시야가 터졌다. 산자락들이 엇갈리는 협곡에서 강물은 옥빛으로 얼어 있었고 아침 햇살이 흰 봉우리에 부딪혀 난반사했다. 우듬지에서 새들이 퍼덕거렸다. 마차세는 나무 둥지를 흔들었다. 놀란 새들이 날아올랐다. 눈덩이가 떨어지고 빛의 가루들이 쏟아져 내렸다. 마차세는 콧구멍으로 빛의 가루를 빨아들였다. 차가운 눈이 마차세의 기도(氣道)에 들러붙었다. 동부전선 산악 고지의 아침은 늘 개벽하듯이 열렸다. 매복 근무가 끝나는 새벽마다 마차세는 먼 산맥을 깨우며 다가오는 시간의 새로움에 어리둥절했다. 참호 속에서 손발이 얼어서 저려오는 새벽에 시간은 초병의 적이었지만, 그 시간에 빛이 스며서 산맥과 협곡이 깨어났고 새들이 지껄였다. 이것이 어찌 된 일인지를 마차세는 누구에겐가 묻고 싶었다. 사람이 반드시 사람의 자식으로 태어나는 포유류의 인연이 새벽 동부전선 산악 고지의 시간의 새로움 속에서 소멸할 수 있을까. 아마 그럴 수는 없겠지…… 마차세는 반짝이는 눈가루를 빨아들이며 대대본부를 향해 걸었다.

대대본부 정문에는 '압록강까지 앞으로!'라는 구호가 걸려 있었다. 그 아래 사람 키만 한 눈사람 두 개가 서 있었고, 오른쪽 눈사람에는 '필', 왼쪽 눈사람에는 '승' 자가 검댕으로 박혀 있었다.

마차세는 대대본부 행정반에서 휴가증을 받았다. 비상계엄에 따른 휴가 정지가 해제된 후 처음 받는 휴가이므로 시국의 엄중함을 인식하고 휴가 기간 중에도 군기를 엄수하고, 부모에게 효도하고, 비상 연락망을 숙지하고 귀대 시간을 엄수하라고 선임하사가 말했다. 십이월 이십이일…… 마차세는 선임하사 앞에서 귀대 날짜를 세 번 복창하고 행정반을 나왔다.

보급계 사무실에서 오장춘(吳長春) 상병이 달려 나왔다. 오장춘은 마차세의 팔을 끌어서 휴게실로 들어갔다. 휴게실에는 아무도 없었다. 오장춘이 흰 봉투 한 개를 내밀었다.

―야, 이거, 휴가 가서 술이나 한잔해라.

―너, 이래도 되니?

―니미……. 야, 누가 보겠다. 빨리 집어넣어.

오장춘이 준 봉투에는 2만 원이 들어 있었다. 상병 월급의 여섯 배가 넘었다. 오장춘은 대대본부 보급계에서 연료 담당 하사관의 조수 노릇을 하고 있었다. 운전병들이 제출하는 차량 운행 일지와 상부에 보고하는 서류 사이의 차이만큼의 연료가 암시장으로 새어 나가고 있었다. 오장춘은 연료를 빼돌리는 조직의 맨 말단이었는데, 범행이 서너 번 거듭되자 산악 도로를 오가는 군용차의 배기가스로 증발해 버리는 연료가 아깝게 여겨졌다. 오장춘은 마차세보다 두 달 먼저 입대했다. 같은 연대에 배속되었지만 근무처가 달라서 유격 훈련장에서 휴식 시간에 잠깐씩 만날 수 있었다. 오장춘과 마차세는 고등학교 동기생이었다. 지나고 보니, 아마도 가난이 둘을 가까이 엮어주었던 것 같았다. 고등학교 때 오장춘은 도시락을 싸 오지 못했다. 오장춘의 아버지 오수칠(吳秀七)은 동해안 북포항에서 7톤짜리 어선을 가진 어부였는데 서울에 사는 남동생에게 아들을 얹혀서 공부시키고 있었다. 오장춘의 삼촌은 적재함을 수족관으로 개조한 1.5톤 트럭 한 대를 가지고 형이 잡은 생선을 도회지 횟집에 대주었다. 오장춘이 고등학교 2학년 때 삼촌은 다른 여자와 눈이 맞아서 달아났다.

오장춘은 밥을 먹기 위해서 학교에 왔다. 체육 시간에 아이들이 운동장에 나가면 오장춘은 남의 가방을 뒤져서 도시락을 꺼내 먹었다. 오장춘은 아침, 점심을 그렇게 먹고, 저녁에 먹을 도시락은 따로 챙겼다. 오장춘은 이 가방 저 가방의 도시락을 뒤섞어놓아서 누구의 도시락이 어디로 없어졌는지를 알 수 없도록 뒷마무리를 해놓았다. 오장춘의 소행은 한 학기가 지나서 발각되었다. 종례 시간에 담임교사가 오장춘을 교탁 앞으로 불러내서 뺨을 때렸다. 오장춘은 한 번 맞을 때마다 한 걸음씩 뒤로 물러섰다. 아이들은 숨을 죽이고 때리는 교사와 매 맞는 오장춘을 바라보았다. 오장춘은 뺨을 맞으면서 교실 뒷벽까지 밀려났다. 여드름이 터져서 피가 흘렀다. 교사는 피 묻은 손을 칠판지우개에 닦았다.

─더러워서 그만 때린다.

자리로 돌아가면서 오장춘은 아이들에게 소리 질렀다.

─야, 니들은 집에 가서 먹으면 되잖냐. 이 씨발 새끼들아.

교사가 오장춘을, 다시, 앞으로 불러냈다. 교사는 회초리로 '정직'이라고 쓴 교훈을 가리켰다.

─넌 이게 안 뵈냐!

교사는 회초리로 오장춘의 얼굴을 때렸다. 오장춘은 피하지 않고 얼굴을 들이댔다.

─충분히 맞아라. 푹 맞고서, 니 밥과 남의 밥을 구별할 줄 알아라.

회초리가 닿을 때마다 오장춘의 얼굴에 빨간 줄이 그어졌다. 교사는 세로로 때리다가 가로로 때렸다. 반장이 앞으로 나가서 교사의 두 팔을 잡았다.

─선생님, 고정하시지요.

교사는 매질을 멈추었다.

─종례 끝. 다들 돌아가라.

오장춘은 한동안 학교에 나타나지 않았다. 마차세는 오장춘을 따라서 학교를 빼먹고 산에 들어가서 오장춘이 주는 담배를 피웠다.

─니미, 이거…… 아침에 교실에 가서 가져왔어. 히히.

오장춘은 교실에서 훔쳐 온 도시락을 내밀었다. 반찬통에 멸치조림과 무말랭이무침이 들어 있었고 달걀 프라이가 밥 위에 펼쳐져 있었다. 오장춘은 숟가락으로 달걀 프라이를 찢어서 반쪽을 마차세에게 내밀었다.

─먹어, 니미. 달걀이네.

오장춘의 얼굴은 맞은 자리가 벌겋게 부어올랐고 거기에 바셀린을 발라서 번들거렸다. 오장춘은 소주병을 꺼내서 도시락 뚜껑에 따라 마셨다.

─카, 술이란 참 좋구나.

라고 오장춘은 말했다.

─니미, 난 이담에 장관이 돼서, 이 세상의 학교를 모두 없앨란다. 니미, 그게 좋겠지?

라고 오장춘은 말했다. 마차세는 학교 없는 세상이 멋있게 느껴졌지만 오장춘이 장관이 될 수 없다는 것은 분명했다.

오장춘은 교실 창문에서 유리를 떼어 내고 학교 신축 공사장에서 철근을 훔쳤고 교실의 양은 주전자를 납작하게

찌그러뜨려서 가방에 담고 나와서 고물상에 팔았다. 오장
춘은 마차세를 중국 음식점에 데려가서 자장면과 군만두
를 사주었다. 그때 오장춘의 얼굴은 힘든 노동으로 먹이를
확보한 자의 피로감과 자부심으로 당당해 보였다. 마차세의
눈에, 그 음식은 이제 오장춘의 것이고 오장춘은 제 입으로
들어가는 음식에 대한 권리가 있었다. 오장춘은 말했다.

　—니미, 사람이나 들짐승이나 먹는 건 다 마찬가지다. 이
것저것 들쑤셔서 겨우 먹는 거지. 근데, 사람이 소보다 더
먹는 것 같아.

　대대본부에서 오장춘을 만났을 때 마차세는 고교 시절에
오장춘과 함께 먹던 자장면의 맛이 떠올랐다. 그 맛은 자장
면의 색깔처럼 어둡고 퀴퀴했는데, 느끼하고 들척지근한 것
이 창자에 인 박혀 있다가 세월의 간격을 건너뛰어서 다급
한 갈증처럼 목구멍에 퍼졌다.

　오장춘의 말대로 '남이 볼까 겁나서' 마차세는 돈 봉투를
받네 마네 실랑이를 할 수 없었다. 마차세는 대대본부를 나
왔다. 새로 내린 눈 냄새가 자욱했다. 국도까지는 대대본부

에서 산길로 2시간이 걸렸다. 거기서 버스를 타고 도청 소
재지로 가서, 다시 군용열차로 12시간을 가면 용산역에 닿
았다. 휴가가 아니라 또 다른 전선으로 매복 들어가는 느낌
이었다.

"난 괜찮다"

야간열차 군용 칸에는 빈자리가 없었다. 먼저 탄 사병들이 좌석을 모두 차지했다. 사병들은 고개를 꺾고 잠들어 있었다. 특수부대 병장은 좌석 세 개를 혼자서 차지하고 누워서 코를 골았다. 군화 끈을 풀어 헤치고 잠든 병장을 열차 헌병이 흔들어 깨웠다.

─야 인마, 군화 끈 매. 여기가 호텔이냐!

병장이 손등으로 침을 닦고 군화 끈을 맸다. 열차는 동해안을 남쪽으로 우회해서 내륙 산간을 통과했다. 마차세는 승강대 계단에 앉아서 졸았다. 눈보라가 승강구 안으로 빨려 들어왔다. 산골 마을의 불빛이 흘러갔다. 마차세는 무릎에 얼굴을 기대고 목을 움츠렸다. 열차 헌병이 마차세의 머리통을 손바닥으로 때렸다.

—너 여기서 졸지 마. 니가 떨어져서 죽으면 넌 제대하고 난 영창 간다.

열차는 새벽 5시에 용산역에 도착했다. 역전 광장은 어두웠다. 김밥, 찹쌀떡, 박카스를 파는 행상들이 휴가병들에게 달려들었다. 역전 광장 건너편 공제회관 건물에서 대통령의 죽음을 애도하는 대형 현수막이 바람에 펄럭였다. 창녀들이 목도리로 얼굴을 싸매고 눈발 속에서 서성거렸다.

마차세는 광장을 가로질렀다. 서울 서쪽 외곽으로 나가는 첫 버스를 타려면 30분 이상을 기다려야 했다. 마차세는 노점에서 소주 한 병에 우동을 먹었다. 맵고 뜨거운 국물이 목구멍을 쥐어뜯었다. 국물은 추운 창자의 끄트머리까지 퍼졌다.

—난 괜찮다. 나가봐.

마동수가 저편으로 돌아누우면서 말했다. 입 속이 말라서, 목소리가 버스럭거렸다. 마차세는 아버지 마동수의 밑을 물수건으로 닦아내고 탈취제를 뿌렸다. 저녁에 간병인이 돌아가면 마차세가 자리를 지켰다.

　—휴가냐?

　라고 마동수가 물었다. '휴가냐?'라고 물을 정도면 마동수
의 의식이 돌아온 때였다. 마동수는 또 말했다.

　—미안허다.

　마차세도 병자가 아들보다 간병인을 편안하게 여기고 있
다는 걸 직감으로 알고 있었다. 간병인이 돌아가고 부자만
있게 되면 마동수는 늘 돌아누웠다. 마차세가 밑을 닦아줄
때 마동수는 의식이 있을 때도 의식이 없는 척하고 아래를
내맡겼다. 마차세는 병자가 의식이 없는 척해주는 편이 오히
려 편했다. 병자의 성기는 까맣게 퇴색해서 늘어졌고 흰 터
럭 몇 올이 남아 있었다. 사타구니 언저리에는 검버섯이 돋
아났고 고환 껍질에 습기가 차 있었다.

　이 성기가 어머니와 섹스해서 나를 잉태시킨 그 성기인
가. 그 두 남녀가 섹스를 한다는 것이 어떻게 가능했을까.
섹스는 그저 생리 현상일 수도 있으므로, 그런 의문은 성립
될 수 없을 터이지만 아버지의 사타구니에 내려앉은 검버섯
을 보면서 마차세는 의문의 절벽을 마주 대하고 있었다. 어
떻게 그런 일이 있을 수가 있었을까.

―너 휴가냐? 좀 놀아야지.

　라고 마동수가 말했다. 배설물 위에서 혼자 뒹굴더라도 아들의 시선에서 놓여나고 싶은 것이라고 마차세는 아버지의 속내를 헤아렸다.

　―미안허다. 나가봐.

　미안하다는 말은, 조일 힘이 풀어진 아래를 아들에게 맡기는 그 속수무책의 무력함이 괴롭다는 말인지, 이제 끝나가는 한 생애 전체가 허접해서 송구스럽다는 말인지 마차세는 알 수 없었지만, 그 미안하다는 말은 자신의 밑에 와닿는 아들의 시선을 힘겨워하고 있었다. 괜찮다. 나는 괜찮어. 마동수가 벽 쪽으로 돌아누워 숨을 몰아쉬었다. 마동수는 자는 척해서 곤경을 모면하려 했고 마차세는 아버지의 속내를 모르지 않았다. 나가봐, 라고 말할 때 아버지의 목소리는 바스라졌으나 그 말은 거역할 수 없는 명령으로 들렸다. 마차세는 아버지의 어깨를 흔들었다. 마동수가 가늘게 실눈을 떴다. 마차세는 아버지의 머리를 안고 수면제 두 알을 입안으로 밀어 넣었다. 저녁 7시쯤 마차세는 외출했다.

세느주점

마차세는 대학 앞 세느주점에서 박상희를 기다렸다. 지방 3급 하천이 서울 북쪽 변두리의 생활하수를 실어내면서 대학 앞으로 흘렀다. 학생들은 그 하천을 세느강이라고 불렀다. 세느강에는 공장 폐수와 분뇨가 흘러들었고 미혼모들이 핏덩이를 버렸다. 세느주점은 그 하천가 공터에 기둥을 세우고 합판을 얽은 판잣집이었다. 장마 때는 기둥이 물에 밀려서 건물이 기울었지만 며칠 지나면 다시 영업을 이어갔다. 대학생들과 하천 건너 쪽 금속 세공 단지의 노동자들과 노동자로 위장한 정보과 형사들이 고객이었다. 카바이드로 속성 발효시킨 막걸리를 찌그러진 주전자에 담아서 팔았고 연탄 화덕에 곱창이나 꽁치를 구웠다.

대통령이 살해된 후에는 대낮부터 술꾼들이 몰려들어서 수군거렸다. 벽에 쓰인 낙서들이 죽은 대통령의 죄악을 성토하고 권력에 빌붙은 교수들에게 침 뱉고, 배신한 여자를 저주했다. 마차세는 야전잠바 주머니에서 박상희의 편지를 꺼냈다. 휴가 나오기 전에 동부전선 GOP에서 받은 편지였다.

마차세 상병에게.

너를 상병이라고 부르니까 우리가 짧은 끈으로 현실에 바싹 묶여 있다는 생각이 들어서 슬프다. 그걸 받아들이는 게 나이를 먹어가는 과정이겠지. 너네 과 애들한테서 너네 아버지가 많이 아프시다는 얘기를 들었어. 아픈 사람이 혼자서 아플 생각을 하니까 너무 힘들었어. 지금, 다들 어쩔 줄 모르고 뒤숭숭하니까 군대는 더 힘들겠구나. 추운 날 너를 생각했어. 추위가 천지간에 가득 차서 피할 곳이 없을 때 고지에 들어가 있을 너를 생각했고, 너의 추위를 생각하니까 내 마음이 더워졌어. 야생동물처럼 몸으로 받아낼 수밖에 없을 테니까 몸을 잘 간수하기 바라. 요즘엔, 우리가 아무 데도 기댈 곳 없이 제 구멍을 제가 파고 스스로를 핥아야 하는 야생동물이라는 생각이 들어.

며칠 전 추운 날 겨울 풍경을 그려보려고 시화호에 다녀왔어. 신입생 때 서클 애들하고 소풍 갔던 호수 말야. 겨울 철새들이 와 있더군. 숲 속에서 새들이 수런수런 날개 쳤어. 새들이 날아오르면서 흰 가슴으로 노을을 받았어. 새들의 가슴은 힘이 가득했어. 새들을 보면서, 날아다니는 것들은 고향이 없고, 부모 자식이 없어서 좋겠다는 생각을 했어. 그러니까, 새를 보면서 너를 생각한 거야. 겨울 풍경을 배경으로 해서, 몸으로 세상의 시간과 공간을 감당하는 새들의 목숨을 그려보고 싶었는데, 잘 되질 않았어. 마음속에는 그림이 다 그려져 있는데, 화폭 위에 옮겨놓으려면 되질 않아. 붓에 기름 물감을 찍어서 종이에 문지를 때 기름이 내 몸에서 겉돌았어. 기름이 내 몸을 튕겨내는 것 같았어. 기름은 너무 뻑뻑하고 무거워. 수채화로 바꾸어볼까도 생각했지만, 물의 그 막막함이 더 어려울 수도 있겠지. 요즘엔 마음과 화폭 사이의 거리를 생각하고 있어. 지도 교수가, 너는 재료로 대상을 장악하는 힘이 약하다고 말했는데, 맞는 말인 것 같아.

그것 때문에 우울하지는 않아. 화폭에서 안 되면 내 마음

속의 그림(천하의 명작!)을 소중히 여기면서 살겠어. 한 생애
가 연습으로 끝나도 괜찮다고 생각하고 있어. 이건 자위가
아니고 당면한 현실이야. 난 요즘 컴퓨터 학원에 다니고 있
어. 상업 영어반에도 수강 신청했어. 그림 재료값이 많이 올
라서 애들끼리 빌려서 쓰고 있어. 졸업하면 우선 취직하려
고, 디자인이나 그래픽 쪽으로 알아보고 있는데 쉽지가 않
구나. 미술은 나중에 작은 동네에서 골목 아이들 모아놓고
실기 지도해 주는 정도가 되어도 좋겠지.

시화호에서 새들을 보면서 너를 생각했어. 너의 생명을 흐
르는 시간과 나의 생명을 흐르는 시간이 같은 것인지, 다른
것인지, 만나는 것인지, 섞이는 것인지를 생각했고, 그런 생
각을 화폭에 그려보려는 생각을 했어. 새들 때문에 그런 생
각을 했을 거야.

거기도 새들이 많겠구나. 새를 보면, 내가 무슨 생각을 하
는지를 생각해 줘. 그만 쓸게. 니가 있는 고지에 어서 봄이
왔으면 좋겠다. 그때는 호수의 새들이 다들 돌아가고 다른
새들이 와 있겠지.

상희

주점 안은 곱창 굽는 연기가 자욱했고, 술 취한 말들이 부딪쳤다. 다들 뭐라고 지껄였고, 말들이 들끓어서 아무 말도 들리지 않았다. 마차세는 편지를 접어서 윗주머니에 넣었다. 편지 속의 새를 생각했다. 주점에 모여든 사람들이, 불안해서 잠 못 드는 새 떼처럼 한 마리가 버스럭거리면 수천 마리가 일제히 날아오를 것처럼 보였다. 편지 속의 새들은 모여 있지만 따로따로였다.

막걸리 한 모금을 넘기자, 카바이드의 독기가 뒷골을 찔렀다. 상희가 그림을 그만둘 수도 있겠구나……. 그걸 받아들이기가 괴롭지만 내색을 하지 않기가 더 힘들어서 결국은 드러나는구나……. 마차세는 두 잔을 거푸 마셨다. 마차세가 공중전화로 박상희를 불렀을 때, 박상희는

—휴가 나왔니? 추웠지. 서울이니?

라고 말했다. 박상희의 목소리는 늘 비음(鼻音)이 섞여 있었다. '휴가 나왔니?'라고 말할 때 '니?'가 코 속에서 울렸다. 코 속이 아니라, 몸속의 깊은 동굴에서 울리는 소리처럼 들렸다. '니?'는 말하는 사람의 몸속을 통과해 나온 물기로 젖어 있었다. 박상희의 '니?'를 그림으로 그리자면 물 위에 번지는 동심원(同心圓)이 되겠지. 그 동그란 파문이 전화선을

타고 와서 마차세의 귀를 통해 몸속으로 들어왔다. '니?'는 동부전선 산악 고지와 서울 간의 거리를 단숨에 뛰어넘어서 마차세를 '니?' 앞으로 몰아세웠다.

—보자. 세느주점으로 와. 난 여기 와 있어.

—또 거기니? 딴 데는 없니?

'니?'가 또 두 번 나왔다. 마차세는 그 '니?'에 대답했다.

—여기가 싸잖아.

—아하. 니가 낼 거야? 너 군복 입고 있니?

—그래. 작대기 세 개 달고.

—세 개씩이나. 내 편지 받았니?

—그래. 지금 가지고 있어.

—만나면 편지 얘기는 하지 마.

박상희가 주점 문을 열고 들어올 때 눈발이 들이쳤다.

—눈이 와서, 니가 올 거…… 같았어. 눈 냄새가 나서…….

라고 말하면서 박상희는 마차세 맞은편에 앉았다. 박상희가 마차세의 계급장을 손가락으로 가리켰다.

—세 개야? 세 개면 높은 거니?

—높으냐구? 이게 높으냐구?

둘이 마주 보고 웃었다. 박상희가 머리에 썼던 목도리를 풀었다.

 박상희는 머리 타래를 한 가닥으로 몰아서 오른쪽 가슴 앞으로 늘어뜨리고 있었다. 국민학교 4학년 때였던가. 마차세는 어느 시골 소읍의 다방에서 아버지의 여자를 본 적이 있었다. 소읍은 흙먼지에 흐려 있었다. 그때 아버지는 이 산 저 산을 뒤지면서 약초를 캐는 일을 하고 있었다는데, 두어 달에 한 번씩 집에 돌아왔고, 어머니와 싸웠고, 사나흘이 지나면 또 어디론지 나갔다. 어머니는 아버지의 행방을 묻지 않았다. 아버지가 왜 아들을 그 다방에 데리고 갔는지 알 수 없었다. 그때 아버지는, 그 낯선 여자에게, 얘가 둘째야, 라고 말했다. 아마도 여자가 아이를 보여달라고 졸랐던 모양이었다. 그 여자는 마차세를 옆자리에 앉히고 머리를 쓰다듬었다. 잘생겼구나, 이마도 시원하고, 라고 그 여자는 말했다. 그 여자는 지갑에서 종이돈 한 장을 꺼내서 마차세에게 주었다. 그 여자의 지갑은 열고 닫을 때 딱 소리가 났다. 그 여자에게서 화장품 냄새가 났다. 냄새는 멀고 날카로웠다. 그때 마차세는 어렸지만, 아버지의 죄에 동참하고 있다는 긴장감으로 가슴을 졸였고, 어머니한테 말하지 않았다. 그 여자는 머리 타래를 한 가닥으로 몰아서 가슴 위로 늘어뜨리고 있었다. 박상희의 머리 타래가, 기억의 아득한 변방에서 아버지의 여자를 끌어당겼다.

─상희야, 머리 모양 좋구나.

─군대 가더니 섬세해졌네.

─너 같은 머리 모양 한 여자가 생각났어.

─애인 생겼니, 너?

─내 애인이 아냐.

─그럼 누구 애인인데?

─우리 아버지, 내가 어렸을 때……

박상희가 화덕 위의 곰장어를 뒤적여서 접시에 올렸다.

─먹어, 식기 전에.

연탄구멍마다 푸른 불꽃이 날름거렸다.

─너, 아버지 때문에 힘든 모양이다.

박상희가 머리채를 풀어서 목뒤로 넘겼다.

─봐, 그 여자 없어졌어.

마차세가 엷게 웃었다. 박상희가 말을 돌렸다.

─거기, 너 있는 데는 눈 많이 오지?

─겨우내 와. 4월부터는 온 산에 새잎이 돋고. 갈봄 여름이 없어……

말이 끊어졌다. 마차세는, 아버지가 빈방에서 죽은 것이
아닌가 조바심쳤다.

—상희야, 난 알 수 없는 게 있어.

—말해 봐.

—우리 엄마하고 아버지하고 섹스해서 날 낳았다는 걸
나는 믿을 수가 없어. 둘 사이에 어떻게 그런 일이 가능했는
지…….

—그건 니가 알 필요가 없는 거야.

—아냐, 난 믿을 수 없어. 이상해. 난 무성생식으로 태어
난 것 같아.

—그냥, 생리나 습관이라고 생각해.

물가의 억새 숲에서 무리를 떠나 혼자 날아오르던 철새
한 마리를 박상희는 생각했다. 그 새는 왜 혼자서 날아올랐
을까. 술 취한 사람들이 젓가락으로 주전자를 두들기며 노
래 불렀다.

어둡고 괴로워라 밤이 길더니
삼천리 이 강산에 먼동이 텄네
(……)

아아 자유의 자유의 종이 울린다*

박상희가 또 말을 돌렸다.

—대통령이 죽어서 새벽이 오는 거야? 군대에서는 뭐래?

—니미, 상병이 뭘 알어. 총알 몇 발로 새벽이 오겠어? 안중근이 이토를 죽여서 새벽이 왔냐구. 니미.

—너 취했구나. 그만 마셔. 니미가 뭐야. 난 싫어.

마차세는 취했다. 카바이드 술의 취기는 난폭했다. 박상희는 취직 걱정을 했고, 마차세는 제대 후에 복학할 일을 걱정했다. 돈도 없지만 학교가 이미 너무 멀어졌다고 마차세는 말했다. 마차세는 군복 주머니에서 돈을 꺼내 술값을 계산했다. 휴가 나올 때 대대본부 행정반 보급계 조수 오장춘이 찔러준 돈이었다.

눈이 그쳤다. 얼어붙은 하천 위에 눈이 쌓여서 하얀 띠가 어둠 속으로 뻗어 있었다. 박상희가 마차세의 팔짱을 끼었다. 마차세는 팔에 힘을 주어서 박상희의 손을 겨드랑에 밀착시켰다.

—마 상병, 팔 굵어졌네.

박상희의 입에서 흰 김이 새어 나왔다. 마차세는 박상희의 김을 들이마셨다. 김은 풋것의 냄새로 비렸다. 마차세는 밤 10시에 귀가했다. 아버지 마동수는 빈방에서 죽어 있었다.

하관(下棺)

마동수는 꼬부린 자세로 죽었다. 염습사가 시신을 펴서 칠성판에 눕힐 때 등뼈에서 우드득 소리가 났다. 장의사는 투덜거렸다.

—아이고, 하필 이 추운 날에⋯⋯. 땅이 얼어서 곡괭이가 튕길 텐데.

시신을 윗목으로 밀어놓고 그 앞을 병풍으로 가렸다. 문상객이 많지 않아서 초상은 썰렁했다. 마동수의 배우자 이도순과 장남 마장세는 초상에 오지 않았다. 이도순은 고관절에 금이 가서 입원 중이었다. 마장세는 6년 전부터 괌에 사업체를 차려놓고 남태평양의 여러 섬들에 출장 다니고 있었는데, '항공편, 선편이 맞지 않는다'는 것이 그 자신의 말이었다.

마장세는 마차세보다 두 살 위였다. 마장세는 맹호 부대 전투원으로 베트남전쟁에 파병되었다가 현지에서 하사로 제대했다. 마장세는 한국으로 오지 않고 괌으로 갔다. 마장세는 베트남에서 알게 된 미군의 군속 문관을 따라 괌으로 와서 작은 무역업체를 차렸다고 어머니 이도순에게 전화로 한 번 알렸다. 마장세가 서울에 와서 세무서 직원, 경찰 간부들을 데리고 여자 끼고 술 먹는 유흥 주점에서 놀다 갔다는 소문을 마차세는 형의 친구들한테서 들은 적이 있었지만, 마장세는 서울에 와서도 집에 기별하지 않았다. 마장세는 얼마 전에 편지를 보내왔는데, 괌에서 한국인 여자를 만나서, 결혼한 셈 치고 동거를 시작했으니 그리 아시고 언젠가 한국에 갈 일 있으면 데리고 가서 인사시키겠다고 말했다. 편지 봉투 속에 여자의 사진은 없었다.

이도순은 큰아들의 편지를 작은아들에게 내밀면서 말했다.

―읽어봐. 이 자식이 의절을 하는구나.

괌은 지금 몇 시인가. 마차세는 114에 괌 시간을 물었다.

괌은 남태평양의 먼 섬이었지만, 서울과의 시차는 1시간 정도였다. 아버지의 시간과 형의 시간이 같은 띠에 속해 있다는 사실을 마차세는 믿기 어려웠다. 마장세는 아버지의 일을 입에 담지 않았고, 아버지의 흔적이 묻어 있는 일상의 땟국과 얼룩 쪽으로 가까이 가지 않았다.

마차세는 전화로 괌을 불렀다. 사무실 직원인 듯한 여자가 전화를 받아서, 마장세 사장님은 미크로네시아로 출장가서 섬에서 섬으로 이동 중이며, 그쪽에서 먼저 전화가 와야 연락이 된다고 말했다.

—서울 사는 동생입니다. 오늘 저의 아버님이 돌아가셨습니다. 그렇게 전해 주십시오.

—친동생인가요? 성함이…….

—그렇습니다. 마차세입니다. 우리 형은 장남이라서 장세고요.

마동수는 밤 10시에 입관되었다. 시신이 말라서 수의가 겉돌았고 관이 헐렁했다. 염습사는 종이를 구겨 넣어서 빈자리를 채웠다. 시신은 턱에 수염이 서너 가닥 자랐고, 입이 벌어져 있었다. 염습사가 가위로 수염을 자르고, 천으로 턱과 머리를 한데 묶었다. 마차세와 고인의 상해 시절 '동지(同

志)'라는 문상객 세 명이 입관을 보았다. 동지들은 술에 취해 관 앞으로 고꾸라질 듯이 비틀거렸다.

마차세는 관 옆에 붙어 서서 입관을 지켜보았다. 죽은 아버지의 얼굴은 말을 걸 수 없이 적막했고, 거기에 아무런 삶의 자취가 남아 있지 않았다. 죽은 자의 얼굴은 자신이 죽었다는 것을 모르는 자의 대책 없는 무책임 속에서 편안해 보였다. 마차세는 아버지가 죽어서 더 이상 세상을 의식하지 못하고, 부대끼거나 쏠리지 않게 된 것에 안도했다. 그 안도감은 마차세가 어렸을 때, 술 취해 잠든 아버지를 보고 느낀 안도감과 같은 것이었다.

—가라. 가. 가서 썩고, 오지 마. 싹 끊으라고.

라고, 문상 와서 술 마신 사내가 종잡을 수 없는 말을 지껄였다. 장의사가 관 뚜껑에 못을 박았다. 구멍을 미리 뚫어놓아서 못이 쉽게 박혔다. 장의사는 망치질 두 번에 한 개씩, 못 여덟 개를 박았다. 못 박는 소리는 가볍고 사소했다.

입관이 끝났을 때, 마장세한테서 전화가 왔다. 마차세가 전화를 받았다.

—얘기 들었다. 니가 힘들겠구나.

라고 마장세는 말했다. '니가 힘들겠구나……'라는 말로 마장세는 아버지의 죽음을 자신으로부터 격리시켰고, 초상에 갈 수 없다는 뜻을 내비쳤다.

—형, 못 와?

—미안하다. 내가 너무 멀리 있어서. 배 타고 꽝에 가서 비행기 타야 하는데, 파도가 높고 시간이 안 맞아. 어머니는 어때?

—어머니? 형이 잘 알잖아.

—미안하다. 임종은 니가 잘 모셨니?

—아니. 난 나가 있었어. 나가서 여자 만나고 와 보니까 돌아가셨더라구.

—그래도 니가 효자다. 니가 장남 해라. 장례비 모자라면 외상으로 해놔. 돈 보내줄게.

—형, 못 온다는 거야?

—야. 나중에 갈게. 멀기도 하지만 여기 일이 꼬여서 몸을 뺄 수가 없어. 니가 힘들겠구나.

'형, 지금 서울에 와 있는 거 아냐?'라고 목구멍을 넘어오는 말을 마차세는 눌렀다.

—야, 너무 힘 빼지 말고 적당히 치러. 상병이 휴가 나와서 초상 치르는 게 말이 되냐? 국방하랴······. 효도하랴······. 정

신 없겠구먼. 니미럴. 야, 너 제대 얼마 남았니?

마차세는 대답하지 않고 전화를 끊었다. 형이 초상에 오지 않는 편이 형에게나 고인의 혼백에게나 편안할지도 모를 일이었다.

마차세는 빈소를 문상객에게 맡겨놓고 어머니 이도순이 입원한 병원으로 갔다. 이도순은 6인 병실 구석 자리에 누워 있었다. 머리맡에는 성모마리아 석고상이 묵주를 걸고 있었다. 자정이 넘었는데, 이도순은 수면제가 듣지 않아서 잠들지 못했고 약 기운으로 어지러웠다. 이도순이 아들 쪽으로 돌아누웠다.

—너 아직 부대 안 들어갔니?

—휴가가 연장됐어요.

—연장이 돼?

—아버지가……. 아침에…….

이도순이 아들을 쳐다보았다. 눈동자에 시선의 방향이 없었다. 마차세는 어머니의 눈이 지나간 시간을 보고 있다고 생각했다. 마차세는 어머니의 시선을 피했다.

이도순은 벽 쪽으로 돌아누워서 울었다. 터져 나오는 울음과 울음을 누르려는 울음이 부딪치면서 울음이 뒤틀렸다. 입 밖으로 새어 나온 울음이 몸속에 쟁여진 울음을 끌어냈다. 몸 밖의 울음과 몸 안의 울음이 이어져서 울음은 굽이쳤고, 이음이 끊어질 때 울음은 막혀서 끽끽거렸다. 그 울음은 남편과 사별하는 울음이 아니라, 울음으로써 전 생애를 지워버리려는 울음이었으나 울음에 실려서 생애는 오히려 드러나고 있었다. 몸속에 저렇게 맹렬한 폭발성 에너지가 쌓여서 조용한 일상이 되어왔던 어머니의 생애를 마차세는 짐작할 수 없었다. 돌아누운 이도순의 등뼈가 흔들렸다. 말리거나 달랠 수 있는 울음이 아니었다. 옆 침대에 누운 당뇨 환자가 짜증을 냈다.

— 이봐, 잠 좀 잡시다. 독방으로 가든지.

마차세는 어머니의 등뼈 위에 모포를 덮어주고 병실을 나왔다.

마차세는 새벽 1시에 빈소로 돌아왔다.

고인의 '동지' 세 사람이 양은 소반을 가운데 놓고 소주를 마셨다. 마차세는 군복에 굴건을 쓰고 영정 앞에 앉았다. 영정은 고인의 동지들이 가져온 사진을 확대한 것인데, 마차세는 처음 보는 모습이었다. 영정 속의 마동수는 깃이 넓은 정장 차림에 포마드를 발라서 머리카락을 뒤로 넘기고 있었다. 콧날에 윤기가 흘렀고, 눈썹이 짙었다. 영정 속에서 마동수는 젊어 있었는데, 사진틀 밖을 내다보는 시선은 불안해 보였다. 영정 위로 향 연기가 흘렀다. 마차세는 영정 속의 아버지가 낯설어서 고개를 돌렸다.

—내가 하춘파다. 느 아버지 동지야.

라고 자신을 소개한 문상객은 팔에 검푸른 핏줄이 드러났고 얼굴에 저승꽃이 피어 있었다. 하춘파(河春坡)는 초저녁부터 취해 있었다.

—야, 마 상병, 너, 나 알지? 너 고등학교 때 명동에서 봤잖나. 눈 오던 날…….

라고 하춘파가 말했다.

그때 마차세는 고등학생이었는데, 어머니의 성화로 닷새째 돌아오지 않는 아버지를 찾아 나섰다. 아버지는 명동성당 건너편 골목 술집에서 취해 있었다. 그때 아버지와 함께 마시던 취객 중 한 명이 하춘파였다. 추운 겨울 저녁이었다. 마차세는 술집에서 내다 버린 연탄재에 남은 불을 쬐면서 유리창으로 술집 안을 들여다보다가 안으로 불려 들어갔다. 아버지, 엄마가…… 마차세는 고개를 숙이고 중얼거렸다.

마동수는 벽 쪽으로 얼굴을 돌렸고 하춘파가 말했다. 아하, 부인께서 보내셨구나. 금실 좋구먼. 알았다 이놈아! 한 잔 먹어라……. 하춘파는 교복 차림의 마차세에게 술잔을 내밀 었다. 너 상해 알아? 내가 느 아버지하고 상해 동지다. 그놈 자알 생겼다. 애비보다 낫구나……라면서 하춘파는 소매로 입을 닦았다. 그날 마동수는 교복 입은 아들을 앉혀놓고 두 시간을 더 마셨다. 마차세가 술 취한 어른들의 말을 대충 들어보니까, 하춘파라는 노인은 청계천6가에서 중고 서적 상을 경영했는데 사회주의 계통의 서적과 문서를 모아서 지 식인 사회에 공급해 오다가 무슨 일로 걸렸는지 2년간 옥살 이를 하고 나왔다. '너, 상해 알아? 그놈 자알 생겼다'를 거 듭하면서 술 취한 하춘파는 트림을 했다. 술집 주인이 다가 왔다. 학생이 아들인가? 어서 모시고 가. 우리 집에서 벌써 이틀째야. 술값은 나중에 받을게. 모시고 가라구…….

그게 아니라……. 집을 나설 때 어머니의 말은 아버지를 모시고 오라는 것은 아니었다. 가서 찾아봐, 청진동이나 미 도파 뒷골목 쪽을 잘 들여다봐. 찾아서 끌고 오지는 말고, 그냥 죽었나 살았나만 보고 와……라고 어머니는 말했다. 그때 마차세는 식은 꽁치 토막으로 향하는 허기를 참고 있었다.

초상에 나타난 사내들은 상해, 여순(旅順), 대련, 장춘, 길림을 떠돌던 시절에 살해되었거나 실종된 친구들, 해방 후에 버마, 타이, 이란, 사우디아라비아로 가버린 뒤 소식이 끊어진 친구들, 동지로 위장해서 수많은 동지들을 일경에 밀고하고 자신도 살해당한 밀정들과 무수한 배신자들을 이야기했다. 사내들은 제 손으로 죽인 살인의 기억을 회상할 때 얼굴빛의 동요가 없었고, 독백처럼 중얼거렸다. 마차세는 병풍 앞에 꿇어앉아서 사내들의 이야기를 들었다. 사내들은 석유곤로에 찌개를 데워 먹어가며 새벽까지 떠들었다.

─야, 마동수 저놈은 젊었을 때부터 회색이었어. 기회주의자였지. 아나키가 아니었다구.

─맞다. 저놈은 노선이 없었어. 저놈은 아나키를 아나키하는 놈이었어.

─저놈은 벼랑 끝에 내몰려서 구름에 올라타려는 놈이었지. 저 영정 사진의 표정을 보라고. 딴 데 쳐다보고 있잖아. 이제 뒈져서 구름에 올라탔겠네.

─그래도 저놈이 밀정질 안 한 게 다행이지.

─우리들 몰래 했을지 아냐. 밀정질을 내놓고 하지는 않

을 테니까.

—야. 파묻기도 전에 씹지들 마라. 너는 노선이 선명해서 그 지경 됐냐? 자유당에 붙어먹은 것도 노선이냐고.

—야. 노선이 밥 먹여주냐? 현실을 봐야지.

—넌 그만치 처먹었으면 밥, 밥 하지 마. 니 노선이 밥이란 건 다들 알아.

—현실을 봐라, 현실을 보라고. 그만치 고생하고도 고생이 모자라서 눈을 못 뜨냐?

—야, 넌 그래서, 눈 뜨고 밥을 보는 거야?

—관둬, 그만해. 여긴 초상집이야. 상병 달구 나와서 초상 치르는 애를 좀 보라고. 야, 마 상병. 이 꼴 봤지? 너, 나라 잘 지켜.

말들이 부딪쳐서 누가 말하는지 알 수 없었다. 마차세는 굴건 쓴 머리를 병풍에 기대고 졸았다.

마동수의 죽음은 조간신문에 1단 기사로 실렸다. 마동수의 동지들이 그의 죽음을 신문사에 알렸다. 기사는, 고인이 1930년대의 상해에서 반식민 반제국의 선전 활동에 종사했고 임정의 외곽 조직에서 공연 단체를 조직해서 민족자

결의 문예운동을 전개했다고, 모호한 어휘를 엮어놓고 있었다. 마차세는 아버지의 죽음이 신문 기사가 된다는 사실이 믿기지 않았다. 신문은 마동수의 영정 사진을 싣고 있었다. 이 사람이 날 낳았구나……. 마차세는 신문에서 눈을 돌렸다.

마동수의 묘지는 시립 공원묘지의 맨 꼭대기였다. 세 평짜리 무덤의 대열이 산등성이를 돌아 나갔다. 마차세가 영정 사진을 들고 맨 앞에서 산길을 올라갔다. 마차세는 군복에 굴건을 쓰고 있었다. 운구할 사람이 모자라서 묘지 관리 사무소 직원들이 관을 들었다. 산길이 가팔라서 운구는 여러 번 쉬어 갔다. 산역꾼들이 모닥불로 언 땅을 녹여서 구덩이를 팠다. 마동수의 시신은 오후 4시에 하관되었다.

산을 내려올 때 바람이 불었다. 마차세의 굴건이 바람에 날려 갔다. 마차세는 야전잠바 주머니에서 군모를 꺼내 썼다. 저녁 어스름에 기온이 떨어졌다. 바람에 날리는 눈가루에서 석양이 빛났다. 내려가는 길은 관이 없어서 수월했다. 아버지가 없는 세상은 문득 가볍게 느껴졌는데, 아버지가 몸은 땅에 묻혀도 그 혼백이 떠나지 않고 서울 청진동의 어느 여인숙에 머물면서 산 사람들의 생애에 개입하는 일이 없기를 마차세는 바랐다. 마차세는 삼우제를 지내고 이틀 후에 귀대했다. 동부전선은 깊은 겨울이었다. 얼어붙은 산맥에 바람이 스칠 때, 바위에 칼 가는 소리가 났다.

봄에 마차세는 병장으로 승진했다. 잇달린 고지들이 아지랑이 속에서 부풀어 보였고, 산맥에 신록의 풋내가 자욱했다. 안개가 짙어서 경계 강화 지시가 자주 내렸다. 초병들은 찬 안개를 마시면서 안개를 향해 총구를 겨누었다. 안개는 안과 밖이 없고 앞과 뒤가 없어서 안개 속에서 초병들은 자신의 위치를 식별할 수 없었다. 철책선과 적 GP들이 지워졌다. 가늠구멍 안에 안개가 가득 차서 초병들은 아무 곳도 조준할 수 없었다. 이따금씩 안개가 갈라지는 새벽에 먼 고지의 윤곽이 어둠 속을 흘러갔다. 안개는 마주 겨누는 적대관계의 구조물들을 지워버렸지만 날이 밝고 해가 떠서 안개가 걷히면 젖어서 빛나는 산맥 아래로 철책선과 GP와 대전차장애물들은 다들 땅 위의 제자리에 들러붙어 있었다.

초병들이 개울에서 피라미 몇 마리를 잡아 와서 내무반에서 길렀다. 의무대에서 얻어 온 유리병 안에 모래를 깔고 물풀을 심고, 풀벌레를 빻아서 넣어주었다. 피라미들은 물풀을 핥아 먹었다. 새벽에 매복 진지로 나가는 무장 초병들이 유리병 안을 들여다보면 피라미들은 바늘 끝 같은 눈으로 초병들을 쳐다보았다. 피라미들은 눈이 빨갛고 몸통은 은빛이고 등 쪽은 갈색인데, 지느러미는 움직일 때마다 색이 바뀌었다. 피라미의 몸에 푸르게 빛나는 줄무늬가 생겼다. 충북 내륙에서 온 병사는 피라미도 장가갈 때가 돼서 몸 색이 변하는 것이라고 말했다. 내무반장은 피라미를 기르게 된 경위를 내무반 일지에 기록했다. 저것들이 살아서 꼼지락거린다, 라고 내무반장은 썼다. 한 달 후에 피라미들은 약속한 듯이 한꺼번에 죽었다. 피라미들은 하얀 배를 위로 내밀고 뒤집혀서 물 위에 떴다. 피라미들은 아가미를 몇 번 벌컥거리고 나서 죽었다. 초병들이 죽은 피라미를 내다 버렸다.

마차세는 산악 고지의 봄 안개와 피라미의 죽음을 박상희에게 편지로 말하고 싶었지만 쓰지 못했다. 안개는 글로 잡히는 것이 아니었고, 피라미의 죽음은 글로 쓰기에는 너무나 사소했다.

박상희가 편지를 보내왔다.

차세에게.

너네 아버지 돌아가신 걸 신문에서 보고 알았어. 겨울에 니가 휴가 나왔을 때 나 만나느라고 임종을 못 지킨 것이 아닌지 싶어서 마음이 무거웠어. 니가 불편해할 것 같아서 문상 가지 않았어. 신문 기사를 읽고서 너네 아버지가 무서운 시대에 태어나서 고생 많이 했다는 걸 알았어. 그러나 나는 니가 아버지의 굴레에서 풀려난 것을 다행으로 생각하고 있어. 풀려난다는 것이 가능할는지는 알 수 없지만 말이야. 너네 아버지가 돌아가셨다고 우리 엄마한테 말했더니, 엄마는 죽은 사람보다 산 사람이 늘 더 가엾다고 말했어. 그 말을 듣고 아버지 병 수발을 드는 너를 생각했어. 너의 고지에도 봄이 와서 나무들이 꽃을 품어내고 있겠지. 너의 추위가 지나갔다고 생각을 하니까 내 마음이 따뜻해왔어.

요즘, 꽃 핀 벚나무를 그리고 있는데, 그림 속에 시간의 흐름을 표현하기가 힘들어. 핀 꽃이 아니라 피어오는 꽃, 피어 있는 꽃을 그리고 싶어. 그걸 그리자면 밑그림이 없이 바로 붓질을 해야 하는데, 그게 쉽지가 않아. 너네 아버지 돌아가셨을 때도 나는 밑그림 없는 세상을 생각했어. 꽃 핀 나무를 그리면서, 니 얼굴을 그리고 싶다고 생각했어. 꽃 핀 나무를 들여다보는 니 얼굴, 니 얼굴에 살아 있는 시간을 그리고 싶었어. 밑그림 없이 말이야.

난, 여러 회사에 입사 원서를 내고 면접도 봤는데, 아직 오라는 데가 없어. 더 기다려봐야지. 대통령이 죽자마자 세상이 뒤숭숭해졌어. 사람들이 납작 엎드리고, 길길이 날뛰고, 갈팡질팡하고 있어서, 기업들도 신입 사원 채용엔 관심도 없는 것 같아.

그만 쓸게. 좋은 소식 못 전해서 미안해. 이제 병장 됐겠네.

상희

마차세는 그해 가을에 제대했다. 제대 명령을 받던 날 저녁에 마차세는 박상희에게 편지를 썼다.

어제 제대 명령을 받았어. 보름 후면 나는 서울로 돌아간다. 지난번 너의 편지에서, 밑그림 없이 붓질을 하고 싶다는 구절을 눈여겨 읽었어. 니가 그리고 싶은 것이 뭔지는 짐작할 수 있었지만, 그게 그려질 수 있는 것인지 의심이 들었어. 미안해. 하지만 진심이야. 너를 얕보는 게 아니고, 사람이 그릴 수 있는 한계를 말해 보려는 것이야. 니가 우리 아버지 초상에 오지 않은 건 잘한 일이라고 생각해. 니가 왔으면 어색하고 쑥스러웠을 거야. 난데없이, 알지도 못하는 아버지의 동지라는 사람들이 문상 와서 술 먹고 떠들어서 내가 힘들었어. 아버지의 청춘 시절이 생각나서 마음이 아팠어. 아버지의 관이 내려갈 때, 동지라는 사람들이 꺼이꺼이 울었어.

이제 내가 이 고지를 내려가면 아버지는 땅에 묻혀서 없을 테지만, 아버지는 죽어서도 저승으로 가지 않고 서울에 머물고 있는 것이 아닌지 싶어. 대통령도 죽었지만, 떠나지는 않을 거라는 생각이 들었어. 헛된 생각이기를 바라.

삼 년 동안 이 고지에서 산맥에 눈 내리고 비 내리고 새잎 돋고 낙엽 지는 걸 보고 나니까 그걸로 마음이 가득 차서 다시 생각을 추슬러서 학교로 돌아갈 수 있을는지 막막하구나.

서울에서 만나자. 세느주점 말고 딴 데서.

육군병장 마차세 씀

마차세가 제대 수속하러 대대본부에 갔을 때, 보급계 연료 담당 조수 오장춘은 두 달 먼저 제대하고 없었다. 그가 제대한 직후에 사단, 연대, 대대의 군수 담당관들이 군용 휘

발유를 빼돌려서 민간에 팔아먹은 범죄가 적발되었다. 장교 세 명, 하사관 두 명이 헌병대에 끌려갔고, 오장춘은 민간인 신분이므로 검찰에 이첩되었다. 마차세는 그 소식을 대대본부에서 들었다. 마차세는 총기를 반납했다. 가을이 깊어서 산맥에 낙엽이 날렸다. 마차세는 고지에서 내려왔다. 소초에서 중대로, 중대에서 대대로 내려가는 길에 낙엽이 쌓여서 발목까지 빠졌다. 서울로 가는 야간 군용열차는 동해 남부를 우회해서 내륙을 통과했다.

남산경찰서

제국의 위의(威儀)를 더럽히는 불령한 자들을 엄중히 문초하되 공무를 집행하는 관헌의 개인적인 증오감이 섞여서는 안 된다는 것이 경시청의 지침이었다. 서울 남산경찰서 형사과장 와타나베가 형사들에게 경시청의 지침을 하달했다.

―취조 때 도구의 사용은 정확하고 침착해야 한다. 모든 동작에서 제국의 위엄이 구현돼야 한다. 난타(亂打)하지 말고 절도를 갖추어 공의(公義)의 훈도를 시행하라.

형사과장이 취조실을 순시하면 형사들은 몽둥이질을 멈추고 차렷 자세로 거수경례했다. 형사과장은 말했다.

─귀관들의 공무 집행은 총독부령과 경시청 지침에 부합
돼야 한다.

과장이 나가면 다시 몽둥이질이 시작되었다. 형사는 히노
마루 아래 책상에 앉아서 취조를 지휘했고 형사 보조원이
도구를 사용했다. 몽둥이질은 경시청 지침에 따라서 절도
있게 진행되었다. 난타하지 않고, 한 번의 몽둥이질이 맞는
사람의 몸에 깊이 스며서 그 여운이 고루 퍼지기를 기다렸
다가 그 다음번 몽둥이를 휘둘렀다.

취조실 밖에는 매 맞을 순번을 기다리는 사람들이 줄지
어 꿇어앉아 있었다. 비명 소리는 경찰서 밖 골목에까지 들
렸다. 매를 기다리는 사람들이 귀를 막았다.

지워져버린 먼 기억이 갑자기 되살아나서 몸을 옥죄이는
것은 죽음이 가까워오는 조짐이었다. 죽기 6개월 전에 마동
수가 간병인이 떠먹여주는 미음을 받아먹을 때, 열 살 때의
남산경찰서와 그 뒷골목 새벽 해장국집의 기억이 떠올랐다.
기억은 미음 냄새 속으로 번져왔다.

기억 속의 해장국집은 김이 자욱했다. 김 속에서 피투성
이가 된 사내들이 국밥을 먹고 있었다. 머리가 터지고 등과

가슴이 으깨진 사내들이었다. 사내들은 가족이 가져온 광목으로 상처를 싸맸고, 무슨 약인지, 허연 기름을 손바닥에 비벼 상처에 발랐다. 다리를 저는 사내들이 부축을 받으며 해장국집으로 들어왔다. 아이를 업은 여자들은 다리를 저는 사내를 붙잡고, 아이고, 아이고 울었다. 사내들이 뜨거운 선짓국을 삼킬 때 이마에서 땀이 흘러내렸다. 사내들은 해장국에 깍두기 국물을 풀고 밥을 말아서 먹었다. 주모가 국물을 더 부어주었다.

—자넨 가슴을 맞았지? 발로 채였구만. 내가 뒤에서 봤어.

—발길이 들어올 때, 내가 몸을 옆으로 틀었지. 바로 맞았으면 아마 죽었을 거야.

—여보 주모, 여기 선지 건더기 좀 더 주시오. 깍두기도.

새벽 두부 장수가 종을 치면서 골목을 지나갔다. 매 맞은 사내들은 두부 장수를 불러들여 김 나는 두부를 샀다. 어혈(瘀血)에는 두부가 약이라며, 사내들은 날두부를 손으로 움켜서 먹었다. 피딱지가 엉긴 입가에 두부 부스러기가 붙었다. 사내들은 혀를 빼서 입가를 핥았다.

주모가 말했다.

—많이들 드시오. 사골 뼈를 구해서 밤새 고았소.

왼쪽 팔을 어깨에 건 사내가 물었다.

─아니, 우리가 아침에 풀려날지 어찌 아셨소?

─길에서 마구잡이로 끌어갔으니 아침에 놔주지 않겠소? 그만 눈치 없이 어찌 밥장사를 하겠소. 고생들 하셨구먼.

먹기를 마친 사내들이 새벽의 한기 속으로 하나씩 사라졌다.

마남수가 종로에 미국 국회의원의 행렬을 구경하러 나갔다가 남산경찰서에 끌려갔다는 소식은 저녁때, 동네 아이들이 전해 주었다. 그때 마남수는 서울에서 고등보통학교를 마치고 돈도 연줄도 없이 막연히 일본 유학을 준비하고 있었다. 마남수는 마동수의 친형으로 열 살이 위였다. 조선을 방문 중인 미국 국회의원들의 행렬이 종로를 지나간다는 소문이 돌았다. 미국 국회의원이라면 조선의 독립이고 일본군 철수고, 못할 일이 없다고 종로통 사람들이 웅성거렸다. 미국 국회의원들은 어떻게 생긴 사람들인가……. 마남수는 종로 네거리로 나갔다. 수백 명의 인파가 늘어서서 미국 국회의원들을 기다렸다. 늙은이들은 맨 앞줄에 똥 누는 자세로 앉았다. 미국 국회의원들은 나타나지 않았고, 곤봉을 든 경찰이 군중을 때려서 해산시켰다. 기마대들이 군중 속으로 말을 몰았다. 군중들은 흩어졌고 경찰은 사내들을 연행했다.

남산경찰서는 퇴근했던 형사들을 불러들여 연행된 사람들을 취조했다. 소문에 따라 우발적으로 모인 군중이었고 동원 조직이나 인쇄물은 적발되지 않았다. 기소할 사안은 아니나, 미국 정치인들에게 반도의 정세를 왜곡 선전하려는 의도는 지극히 불령하므로 엄히 훈도하고 사상을 개조해서 방면하라고 경시청은 훈령했다.

마동수의 어머니는 매 맞고 나오는 큰아들의 꼴을 차마 못 보겠다고, 작은아들 마동수를 경찰서 뒷골목으로 내보냈다. 마동수는 형에게 갈아입힐 옷가지와 고약을 싸 들고 남산경찰서 뒷골목에서 새벽까지 기다렸다. 매 맞는 소리가 거기까지 들렸다. 날카로운 비명이 새로 터지면 맞는 사람이 바뀐 것이었다. 비명은 잦아들면서 신음으로 바뀌었다. 골목에서 기다리는 사람들은 저마다 딴 방향을 쳐다보면서 그 소리를 들었다. 마남수의 목소리는 낮고 울림이 컸다. 목소리에 조일 힘이 없어서 사물의 이름을 부를 때 헛것을 부르는 듯했다. 형제는 목소리의 무늬가 비슷했다. 경찰서 취조실 쪽에서 형의 비명임을 직감할 수 있는 소리가 들려왔다. 비명은 점차 낮아졌다. 신음은 소리의 끝이 풀리면서 받아들일 수 없는 것을 받아들이고 있었다.

저것이 형이로구나, 마동수는 귀를 기울였다. 그것은 형이었다.

매 맞은 사람들은 새벽에 풀려났다. 마남수는 맨 나중에 나왔다. 머리가 깨졌고 윗옷에 피가 배었지만, 마남수는 혼자서 걸을 수 있었다. 마남수는 고개를 젖혀서 새벽하늘을 오랫동안 올려다보았다. 빛이 퍼지는 하늘에서 별들이 사위어가고 있었다.

—형아, 괜찮아?

—그래 괜찮다. 너 돈 가졌냐? 엄니가 돈 좀 주더냐?

형의 목소리는 여전히 낮고 울림이 컸다. 마동수는 지전 몇 장을 꺼내서 형에게 보여주었다.

—밥 먹자. 배고프다.

59년 전 그날 새벽, 남산경찰서 뒷골목 해장국집의 누린 내 나는 김 속에서 국밥을 먹던 피투성이 사내들의 허기와 괜찮다, 너 돈 가졌냐, 밥 먹자, 배고프다던 형의 목소리가 자리에 누워서 마지막 며칠을 견디는 마동수의 뿌연 의식

속에 떠올랐다. 그때, 세상은 무섭고, 달아날 수 없는 곳이었다. 기억은 바래어져서 아무런 현실감이 없었지만, 임박한 죽음보다 더 절박하게 마동수를 옥죄었다. 비닐 장판에 누워서 마동수는 그날의 새벽을 응시했다. 세상은 달아날 수 없는 곳이었다.

마남수는 고등보통학교를 나왔다는 이유로 더욱 모진 매를 맞았다. 국체(國體)의 존엄과 시국의 엄중함을 알 만큼 배운 자가 남보다 크게 국가의 은혜를 받고서도 불온한 소요에 가담한 소행은 죄질이 사악하다고 형사는 말했다. 마남수는 채찍으로 등을 맞고 각목으로 정강이를 맞았다. 눈앞이 뒤집히고 정신이 거꾸로 박힐 때 마남수는 여기서 죽지 말자고 결심했다. 여기가 아닌 곳에서 살려면 여기서 죽어서는 안 되고, 여기가 아닌 곳에서 죽으려면 여기서 죽어서는 안 된다는 생각이 매와 매 사이에서 솟아올랐다. 매가 그런 생각을 몰고 왔다. 그 자맥질의 힘으로 마남수는 혼절하지 않았다.

경찰서에서 매 맞고 나온 뒤 마남수는 온양에 사는 오촌

당숙의 집으로 내려가서 닭을 고아 먹고 온천욕으로 몸을 진정시켰다. 마남수는 지기(地氣) 좋다는 태조산(太祖山) 씀바귀를 뜯어 먹고 샘물을 마셨다. 어혈이 풀리자 마남수는 잠적했다. 마남수는 아무런 낌새도 흘리지 않았다.

10년이 지나서, 만주 길림에서 한의사로 개업하고 있는 마남수로부터 길림으로 오라는 전갈을 받았을 때 마동수는 길림의 마남수가 정말로 그날 새벽 해장국집의 형인지 믿기 어려웠다.*

상해(上海)

남중국해의 태풍은 바다를 뒤집어엎으면서 대륙으로 향했다. 원양에서 일어나는 파도의 떼들이 횡렬 대오로 연안에 달려들었다. 바람에 올라탄 파도는 앞선 대열을 깨뜨렸고, 해안을 긁고 물러서는 파도가 달려드는 파도에 부딪쳐서 물보라를 일으켰다. 물기둥이 방파제를 넘어서 도로에 넘치면 항구는 철시했고 잡역부들은 일거리가 없었다. 일거리가 없는 날 마동수는 노무자 대기소 유리창 밖으로 파도치는 상해의 외항을 바라보았다. 그 바다에서 사람들의 말[言]은 의미에 닿지 못했다. 말은 애초에 생겨나지 않았거나, 땅에 내려앉아 사물을 붙잡지 못하고 바람에 불려 갔다. 마동수는 바다를 향하여 무언가를 말하려 했지만, 말은 목구멍을 넘어오지 않았다.

대양(大洋)을 건너가는 배들이 항구에서 저녁을 맞았다. 마스트 꼭대기에 푸른 등이 켜지고, 여러 나라의 깃발이 나부꼈다. 빨간색, 파란색, 초록색 띠들이 깃발 위에서 바람에 나부꼈다. 그토록 선명한 색깔을 마동수는 본 적이 없었다. 배들의 옆구리에는 선적지 항구의 이름이 영문으로 쓰여 있었다. 리스본, 마르세유, 이스탄불, 런던, 시드니, 요코하마를 마동수는 더듬거리며 읽었다. 깃발들은 그 낯선 항구들의 기후와 습속을 향해서 펄럭이는 듯싶었다. 바다가 저물면 서치라이트가 어둠을 휘저었고, 외항의 등대가 원양으로 빛을 쏘아내서 항로를 알렸다. 항구는 마동수와 아무런 관련도 없었다. 마동수는 외항선 갑판을 닦고 선원들의 옷을 빨았다.

마동수는 상해에서 한의학을 가르치는 의과대학에 입학했다. 군대의 막사를 개조한 강의실에서 여대생들은 강의 시간에 껌을 씹었고, 밤에는 극장식 유흥업소에서 밑을 팔아서 화대를 받았고, 학교 앞 하숙에서 남자들과 동거했다.

길림의 개업의 마남수는 동생 마동수에게 한의학을 강권했고 그 조건으로 학비를 보내왔다. 마동수는 본초학(本草學)의 효능을 비의(秘義)로 받아들였고 거기에 매혹되었지만, 인체의 구조와 기능을 물리적으로 이해하는 능력이 없었다. 마동수는 낙제를 거듭하다가 퇴학당했고, 마남수는 학비 송금을 중단했다. 상해에서 마동수는 하춘파의 하숙방에 얹혀 지내면서 외항선 갑판을 닦거나 상해 시내 전차 검표원 노릇을 했다. 하춘파의 집안은 도참비기(圖讖秘記)를 받들어서 양백지간(兩白之間)에 세거하던 유림의 잔반(殘班)이었다. 하춘파의 선대가 지관(地官)을 따라 만주로 이주했고 하춘파는 마동수보다 6년 먼저 상해에 들어와 있었다. 마동수는 하춘파를 '선배'라고 불렀는데 그가 하숙방에 며칠씩 돌아오지 않아도 어디서 무얼 하고 다니는지는 알지 못했다. 하춘파는 술에 취하면 말채찍을 들고 공원의 기마 동상 위로 올라가서 기병 부대를 몰아서 압록강을 건너 반도로 진공하는 시늉을 하면서 '진격 앞으로!'를 소리 지르다가 쓰러졌다. 술 취한 하춘파는 상해 부두에 나가서 정박한 배들을 향해 전함 발진하라, 뱃머리를 동쪽, 반도로 발진하라면서 세수수건을 흔들었다. 하춘파는 병서(兵書)를 많이 읽었고, 무경칠서(武經七書)의 몇 구절을 외웠다.

사수(邪祟)에 걸린 사람은, 성한 사람들이 갈 수 없는 험한 곳을 평지처럼 다니며 꿈에 귀신과 성교하고 늘 아파서 안 아플 때가 없고, 전신에 안 아픈 곳이 없어서 어디가 아픈지 알 수 없고, 병증이 늘 그러함이어서 정상과 구분하기 어렵다, 이 삿된 기운은 옆 사람에게 전염되는데, 말린 소똥을 녹용에 섞어서 쓰면 효험이 있다고 마동수는 한의과대학에서 배운 적이 있었다. 마동수는 그 처방을 하춘파에게 말해 주지 못했다. 하춘파의 광태는 병이 아니라 정상인 것처럼 보였다.

하춘파가 술이 깨면 마동수는 야채 죽을 끓여 주었다.

여객선의 청소 일거리가 날마다 걸려드는 것은 아니었다. 새벽에 지원자들은 청소 용역 회사 사무실 마당에 도열했다. 네팔인, 티베트인, 몽고인, 월남인들이 섞여 있었다. 용역 회사 관리인이 호루라기와 깃발로 지원자들을 통제했다. 관리인은 장애자와 노약자, 술이 덜 깬 자와 아편 중독자를 골라내고 필요한 인원만큼을 끊어서 이마에 붉은 도장을 찍었다. 도장을 받은 사람만 배로 건너갈 수 있었다. 일이 끝나면 관리인은 후불표로 노임을 지급했다. 후불표는 한 달 후에 현금으로 바꾸어 주었는데 현장에서 되팔면 2할을 제했다.

　마동수가 원양 여객선의 갑판을 기름걸레로 닦을 때, 마스트에서 깃발은 펄럭였다. 마동수의 귀에, 깃발이 펄럭이는 소리는 수에즈 운하 건너편의 그 인연 없는 나라에서 수런거리는 생활의 소리로 들렸다. 마스트에 앉은 갈매기들이 갑판 위로 흰 똥을 떨구었다.

　항구에 일거리가 없을 때 마동수는 전차 검표원으로 일했다. 마동수는 임시직으로, 정규직 검표원의 근무 공백에 배치되었다. 임시직도 신원 보증이 필요했다. 하춘파가 중국인 하급 관리의 도장을 받아와서 보증을 세웠다. 일이 걸려드는 날에 마동수는 하루 종일 전차를 타고 승객들의 표를 점검했다. 전차는 고층 건물 사이를 미끄러져 달렸다. 빌딩 사이에 낀 하늘에서 바다의 새들이 날았다. 전차에는 온갖 인종의 여자들이 탔다. 마동수의 눈에, 여자들은 어디에 던져지더라도 그 세상과 긴밀히 접합하는 것처럼 보였다. 한족 여자들은 몸에 꽉 끼는 원피스의 양쪽을 터서 허연 허벅지를 드러냈고, 유럽 여자들은 가슴의 고랑을 내보였다. 비 오는 날, 전차 안에서 여자들은 진한 몸 냄새를 풍겼다. 표를 검사하면서 마동수는 여자들의 몸 냄새가 인종에 따라서 다르다는 것을 알았다. 유럽 여자들의 가슴에 깔린 주근 깨가 별자리처럼 보였다. 마동수는 여자들의 허연 허벅지에서 성욕을 느꼈다. 성욕은 기갈이나 주림 같았다. 유럽 여자와 한족 여자의 몸 냄새가 달라질 때 마동수의 성욕은 별도로 솟구쳤다. 상해의 전차 안에서, 아무런 인연도 없는 존재를 향해 성욕이 치솟는 사태는 감당하기 어려웠다. 마동수는 가끔씩 후불표를 판 돈으로 화물선 부두의 값싼 창녀에게 갔다.

마동수는 하춘파가 며칠 만에 나타나도 그의 행적을 묻지 않았다. 하춘파는 동북쪽에 다녀왔다, 황포강 건너편에 다녀왔다, 라고만 말했다. 하춘파는 읽은 글과 자신의 말을 구별하지 못했고 여러 번 되풀이한 말을 처음인 듯이 말했다. 그의 어조는 신명에 들떠 있었는데 오히려 나직했다.

─사상을 구현하기 위하여 행동하는 용기를 가져라. 그것만이 자유로 가는 길이다.

하춘파는 또 말했다.

─권력에 의해 작동되는 인간관계의 비극은 세계사의 질곡이다. 이 비극의 사슬을 끊어낼 때 세계는 새롭게 태어나고 이 신세계에서 인간의 모든 위계적 관계는 소멸한다. 혁명

무력은 핵심부에 집중되어 있다가 전위부로 산개돼야 한다.

마동수는 하춘파가 구사하는 단어들이 거기에 해당하는 실체를 지니고 있는지를 물어보지 못했다. 하춘파가 말과 세상을 구별하지 못하는 것이 아닌지, 세상을 접고 구겨서 말의 틀 속으로 밀어 넣고 있는 것이 아닌지도 물어보지 못했다. 며칠 만에 나타난 하춘파가 그런 말을 할 때 마동수는 한의과대학에서 배운 처방전이 떠올랐다. 태을벽사탕(太乙辟邪湯)이라는 탕제는 길이 없는 곳을 마구 돌아다니는 몽병(夢病)에 효험이 있다고 교과서에 쓰여 있었다.

하춘파의 말을 들으면서, 마동수는 10여 년 전에 서울 남산경찰서에서 매 맞고 나온 형과 마주 앉아 국밥을 먹던 새벽 해장국집의 기억이 떠올랐다. 사골 뼈를 고은 국물은 맛이 깊었는데, 대파를 많이 넣어서 깊은 맛이 청량했다. 선지는 싱싱했고, 염통, 허파, 간이 한 점씩 고루 들어 있었다. 깨진 머리통을 무명천으로 싸맨 사내들이 김 속에 머리를 숙이고 국밥을 먹었다. 그때, 사내들의 식욕은 운명처럼 보였다. 그들의 식욕은 여전히 유효한 것이었다.

—선배, 마르세유가 어디요?

—거긴 프랑스다. 수에즈 운하 건너편이지. 어제 항구에

그쪽 배가 들어와 있더군. 마스트에 삼색기 단 배가 그 배
야. 지도를 봐. 공부를 하라고.

하춘파는 마르세유를 옆 동네처럼 말했다. 마동수는 상
해 도심지를 지나다니는 이국 여자들의 몸 냄새와 항구에
가득 찬 먼 나라 기선들의 깃발을 떠올렸다. 거기에, 서울 남
산경찰서 뒷골목 새벽 해장국집의 누린내 나는 김이 서렸다.

─동수, 너는 문약해서 폭력의 핵심부로 진출할 수 없다.
너한테는 문선(文宣)이 맞아.

라고 하춘파는 마동수의 자질을 평가했다. 하춘파는 그
가 속한 구역의 변방에 마동수를 점원(點員)으로 배치해 놓
고 한인 망명자들의 2세, 3세 자녀들에게 한국어를 가르치
도록 했다. 급여나 직위는 없었지만, 마동수는 자신이 무언
가 거대한 사업의 외곽에 진입했다는 설렘을 느낄 수 있었
다. 상해 황포강 서안 한국인 밀집 지역에 중국인이 가내공
업으로 운영하던 병뚜껑 공장을 개조해서 교실 한 칸, 사
무실 한 칸을 장만했고, 그 입구에 '배달학원'이라는 간판
을 걸었다. 사업 비용은 모두 하춘파가 어디에선가 가져왔
다. 수업은 주말 저녁에만 열렸고 학생은 서른 명 정도였다.

일고여덟에서 열댓 살까지 나이 차이가 컸고 출결이 고르지 않았다. 담배 행상을 하는 아이들도 있었고 아버지와 같이 똥을 푸는 아이도 있었다. 아버지가 똥 수레를 끌고, 어머니와 아이는 뒤에서 밀었다. 똥 수레는 인구 밀집 지역의 골목을 다니면서 똥을 퍼서 수레에 싣고 변두리 채소밭에 가서 팔았다. 똥 푸는 아이한테서는 늘 똥 냄새가 났다. 수업 시간에 똥 푸는 아이는 스스로 맨 뒷자리, 창문 옆에 앉았다. 배달학원은 지대가 높아서 똥 푸는 아이의 자리에서는 항구와 시가지가 내려다보였다. 항구에는 외국 기선과 군함들이 정박했고 그 사이로 정크선들이 분주히 오고 갔다. 임해 공단의 굴뚝들이 토해내는 연기가 해풍에 흩어졌다. 해안도로 연변에는 유럽, 아시아, 미주 대륙 여러 나라의 대사관이 들어서 있었다. 기마경찰대가 거리를 순찰했다. 마동수는 등사기로 한국어 교재를 찍어서 아이들에게 나누어 주었다. 봄 여름 가을 겨울, 해 달 별, 소 말 개 닭 오리, 언니 오빠 형 동생, 어머니 아버지 할머니 할아버지 같은 한국어 단어들과 그 단어를 활용한 한국어 문장들이 교재에 실렸다. 마동수가 소리 내서 읽으면 아이들이 합창했다.

　―어머니, 아버지.

—어머니, 아버지.

그 소리는 자음이 없이 모음만으로 울리는 듯싶었다. 소리가 헤어날 수 없는 주술이 되어서 사람을 결박하는 힘을 마동수는 느꼈다. 그 주술의 힘은 아버지, 어머니의 'ㅓ' 모음과 'ㅣ' 모음 속에 들어 있을 것이었다. 이 주술의 사슬은 끊어낼 수 있는 것이 아니라고 모음들은 말하고 있었다. 이것이 무엇인지를 마동수는 알지 못했다. 마동수가 소리 내 읽고 아이들이 따라서 합창했다.

　—어머니, 아버지.

　—어머니, 아버지.

마동수는 그 모음의 주술을 아이들에게 가르칠 수 없었다.

하춘파는 상해에 거점을 두고 있었지만 길림, 장춘 쪽의 망원(網員)들과 선을 대고 있었다. 하춘파는 술을 마시다가도 자리에서 일어나 황포강 부두로 나가서 배를 탔다. 하춘파는 여러 개의 혐의로 수배되어 있었다. 그의 혐의가 다른 사람에게 씌워진 경우도 있었고 그 반대도 있었다. 하춘파는 중국인 아편 밀매상을 죽이거나 묶어놓고 돈을 털었고, 잦은 소규모 거래로 은행에 신용을 쌓아놓고 가짜 사업 계획 서류를 보내서 은행 돈을 빼냈다. 하춘파는 자신의 소행 중에서 필요한 부분만을 후배들에게 말했지만, 마동수는 하춘파의 영역을 짐작하고 있었다. 하춘파는 살인에 대한 죄의식이나 주저가 없었다. 살인은 그의 힘겨운 사업이었다. 그는 살인을 '정리'라고 표현했다.

— 김산림은 정리됐어. 갈보를 끼고 여관에서 자고 있더군. 새벽까지 기다렸지.

라고 말하면 그가 김산림(金山林)을 죽였다는 말이었다.

하춘파는 가학(家學)으로 한문을 깨쳤고 서예를 익혔다. 사업이 없을 때 하춘파는 상해 도심지에 좌판을 벌이고 붓글씨를 쓰거나 부적을 그려서 외국인들에게 팔았다. 이 세상의 모든 뽕나무 밭을 다 지나고 나면 갑자기 푸른 바다가 펼쳐지는데, 거기서는 노동과 소유의 구획이 모두 소멸해서 인간세는 초목과 같아지는 것이라고 설명하면서 하춘파는 상전벽해(桑田碧海)라고 네 글자를 써서 유모차에 아기를 태운 미국인 여자에게 팔았다.

이 세상이 삭막하고 따분한 까닭은 이 뽕나무 밭에서 벌어지는 소유와 결핍, 지배와 피지배의 관계가 시간 속에 축적되고 공간 속으로 확산되기 때문이라면서 하춘파는 인생

하기지리호(人生何其支離乎*:인생은 왜 이리도 지리한가!)라
고 일곱 글자를 써서 목발을 짚고 절뚝거리는 포르투갈 노
인에게 팔았다.

하춘파는 상해의 외국인 거주 지역에 세력권을 장악한
폭력 조직에 선을 대서 노점 자리 세 개를 얻어냈다. 하나는
직영했고 나머지 두 개는 임대를 주었다. 하춘파의 노점은
남루했지만 목이 좋았다. 밥을 먹고 남은 돈을 모아 사업비
를 썼다. 하춘파는 여름에는 아이스크림, 겨울에는 단팥죽
장사를 했다. 하춘파는 예고 없이 노점 일을 마동수에게 맡
기고 며칠씩 나타나지 않았다. 마동수는 코크스 화덕을 끼
고 앉아서 하루 종일 지나가는 행인들을 바라보았다. 여러
인종들이 지나가고 또 지나갔다.

하춘파는 단팥죽을 판 돈을 모아서 체코제 탄창 삽입식
권총을 새로 구입했다. 하춘파가 쓰던 권총은 미제 육연발
리볼버였다. 리볼버는 공이의 각도가 정확지 않아서 격발되
지 않는 때가 있었다. 리볼버가 오작동할 때 적 앞에서 생
사는 명멸했다. 일발(一發)과 일발 사이에 바닥을 알 수 없
는 낭떠러지가 가로놓여 있었다. 리볼버로 여섯 발을 다 쏘
고 나면 목숨은 숨을 곳이 없었다. 일발로 삶에서 죽음으로

내몰리고 죽음에서 삶으로 전환할 때, 리볼버는 신뢰할 수 없는 무기였다.

빗방울이 떨어지는 저녁에 단팥죽 노점으로 망원이 달려와서 쪽지를 전했다.

—눈이 많이 왔다. 토끼 잡으러 오라. R포인트.

토끼는 밀정 김산림, R포인트는 로망여관의 암호명이었다. 로망여관은 상해 외곽에서 북쪽으로 50킬로미터 떨어져 있었다. 로망여관에 김산림이 투숙했다는 첩보였다. 여관 종업원은 하춘파의 조직원이었다. 종업원은 상해의 망원에게 암호로 알렸다.

하춘파는 노점을 거두어 하숙방으로 돌아가서 낚시꾼으로 변장하고 택시에 탔다. 새로 구입한 체코제 권총에 탄창을 끼웠다.

하춘파는 저녁 9시 무렵에 로망여관 앞에 도착했다. 하춘파는 길 건너편 호숫가에 밤낚시 좌대를 설치했다. 종업원이 좌대로 와서 김산림이 난데스까(なんですか) 카바레의 전속 댄서 나스타샤 필리포프나와 함께 301호실에 투숙해 있다고 알려주었다. 김산림의 방에는 노란 불이 켜져 있었다. 10시부터 비가 내렸고, 배달 음식이 들어갔다. 김산림의 방

은 자정이 넘어서 불이 꺼졌다. 방 안으로 쳐들어가는 것은 위험했다. 방 안에서 먼저 감지할 수도 있었다. 나올 때까지 기다릴 수밖에 없었다. 밤새 비가 내렸다. 새벽 6시에 김산림이 여관 문을 나왔다. 여자가 뒤따랐다. 하춘파는 가로수 뒤에서 권총을 쏘았다. 김산림은 가슴에 첫 번째 총알을 맞고 쓰러졌다. 하춘파는 쓰러진 김산림의 머리에 두 발을 더 쏘았다. 하춘파와 여자가 시선이 마주쳤다. 여자는 비명을 지르며 여관 안쪽으로 달아났다. 여자는 하춘파의 인상을 기억하고 있었다. 여자의 입을 막으려면 목숨을 거둘 수밖에 없었다. 여자가 뒷걸음치다 문지방에 걸려 쓰러졌다. 스커트 밑으로 허연 허벅지가 드러났다. 하춘파는 여자의 양미간에 한 발을 쏘았다. 여자는 무슨 말을 하려는 듯했다. 하춘파는 여자의 하복부에 두 발을 더 박아 넣고 현장을 떠났다. 하춘파는 택시를 세 번 갈아타고 왔던 길을 거꾸로 갔다가 다시 돌아서 상해 도심으로 돌아왔다. 여관 종업원은 6시 15분에 경찰에 신고했다. 경찰은 택시 운전사들을 상대로 탐문 수사를 벌였으나 여관 종업원을 의심하지는 않았다. "총소리가 나서 나가봤더니 투숙객이 쓰러져 있었다. 범인을 보지는 못했다"고 종업원은 말했다. 상해의 신문들은 이 엽기 살인 사건을 크게 보도했다. 신문들은 나스타 샤 필리포프나의 화류계의 명성과 치정 편력을 소상히 소개했고, 죽은 김산림은 조선인 목재상이라고만 소개했다. 신문들은 김산림의 정체에 접근하지 못했다.

김산림은 평안도 정주(定州) 출신으로 마름의 아들이었다. 그의 선대가 만주로 이주해서 목재상으로 돈을 벌었다. 김산림은 상해에서 대학을 졸업했고 중국어, 일어, 영어를 구사했다. 그는 선대의 가업을 이어받아 목재상을 키웠다. 그는 교민들의 애경사에 빠짐없이 나타나서 돈 봉투를 내밀었다. 그는 늘 수달피 조끼를 입고 다녔다. 하춘파는 그 조끼를 마음에 새겼다. 하춘파는 김산림의 원거리에 망원을 붙였다. 멀고 희미한 첩보들이 점점 다가왔다. 김산림은 안동(安東) 일본 영사관의 밀정으로, 그 공작 구역은 상해까지 미쳤다. 3년 전부터 하춘파의 조직원 세 명이 절선(絶線) 되었는데 그들의 실종이 모두 김산림의 공작이었다.

나스타샤 필리포프나는, 이르쿠츠크 북쪽 산악 지대에서 옥수수 농장을 하는 러시아 남자와 이주 조선인 2세 여자 사이의 혼혈아로, 5년 전에 상해로 와서 무도학원을 수료하고 카바레의 직업 댄서가 되었다. 나스타샤는 상해 양수포(楊樹

浦) 난데스까 카바레에 전속되어 있었지만 일몰, 무정부, 명왕성에까지 출장 가서 춤을 추었다. 나스타샤는 체구가 작아서 사내의 한품에 들어왔다. 눈이 시원했고 목이 길었고, 가슴에 깔린 보라색 주근깨는 카시오페이아 별자리였다. 나스타샤는 블루스 춤사위가 포근했고 탱고를 출 때는 밀착 정도가 사내를 감질나게 했다. 나스타샤는 화류계에 심지를 박아놓은 밀정들과 밀정을 염탐하는 또 다른 밀정들 사이를 넘나들며 춤을 추었고 아랫도리를 팔았다. 나스타샤는 영업의 품격이 높아서, 매춘과 사랑의 종합이라는 평판이 있었다. 사내들은 그 여자를 품을 때 사랑을 느꼈고, 그 느낌의 진정성을 의심하지 않았다고, 신문들은 익명의 체험자들을 인용해서 나스타샤의 생애를 회고했다.

하춘파는 무역상으로 위장하고 난데스까 카바레에 갔다가 나스타샤와 합석해서 술을 마신 적이 있었다. 나스타샤는 짙은 동물성 향수 냄새를 풍겼다. 냄새는 웃음과 눈짓에서 퍼지는 듯싶었다. 로망여관 앞에서 총 맞고 쓰러진 나스타샤에게서도 그 향수 냄새가 났다.

체코제 탄창 삽입식 권총은 손아귀에 잡히는 안정감이 좋았다. 노리쇠 뭉치가 촐싹거리지 않았고 가스 활대의 진

퇴가 부드러워서 조준선이 흔들리지 않았다. 실탄과 공이가 정확히 맞물려서 오작동이 없었고, 격발과 격발 사이가 들뜨지 않았다. 나스타샤의 몸속으로 총탄을 쏘아 넣을 때, 하춘파는 새로 구입한 권총의 안정감을 느꼈다. 하춘파는 총알이 뚫고 들어간 나스타샤의 몸의 안쪽의 피와 살과 온도를 생각했다.

김산림과 나스타샤를 정리한 다음 날 하춘파는 다시 노점으로 나가 붓글씨를 팔았다. 붓글씨 노점은 나스타샤가 춤추던 난데스까 카바레 건너편에 있었다. 저녁 어스름에 난데스까의 네온사인이 켜졌다. 점멸등 네온사인은 난데스까, 난데스까, 하면서 깜박거렸다. 그 옆 건물 외벽에는 매독 약 광고가 붙어 있었다. 매독은 평등하게 번졌다. 앉은뱅이 거지나 재벌 총수의 애첩이나 다들 매독에 걸렸다. 매독 약은 두세 달에 한 번씩 신제품이 나와서 판매 기록을 갱신했다. 광고판에서 벌거벗은 미녀가 가랑이를 벌리고 "나는 다나았어요"라면서 손가락으로 사타구니를 가리키면서 윙크했다. 거리에서 사람들은 지나가고 또 지나갔다.

하춘파는 그날 '인생하기지리호' 세 장과 '상전벽해' 다섯 장을 팔았다.

노점 좌판을 접었을 때 망원이 왔다. 경찰이 갑자기 황포강 서쪽 지역 노점상들을 검문하기 시작했다는 전갈이었다. 로망여관 종업원이 잠적했다는 첩보는 다른 망원으로부터 입수되었다. 두 첩보를 종합하면, 로망여관 종업원이 배신해서 하춘파의 신원이 노출된 것이었다. 여관 종업원을 정리해야겠는데, 선을 이을 수가 없었다. 상해를 떠나야 할 때가 다가오고 있었다.

마동수는 하춘파의 행적을 알지 못했다. 마동수는 배달학원에서 아이들에게 한국어를 가르쳤다. 마동수가 소리 내 읽으면 아이들이 따라서 합창했다.

—어머니, 어머니, 우리 어머니.

—어머니, 어머니, 우리 어머니.

황포강 건너편 해관(海關)의 시계가 노을에 젖어서 일몰의 시간을 건너가고 있었다. 항구를 떠나는 배들이 외항 등대를 돌아 나가서 어두워지는 원양으로 나가고 있었다.

공습

중국군 패잔병들이 산악에서 흩어져서 상해로 몰려들었다. 패잔병들은 무기도 지휘자도 없었고 거리에서 잤다. 아편을 구걸했고 식당 쓰레기통을 뒤져서 먹었고 줄에 널린 빨래를 걷어 갔다. 패잔병들이 나타나면 상가는 철시했다. 부상자들은 상해까지 수백 리 길을 기어이 몸을 끌고 와서 상가 처마 밑에서 죽었다. 시청 청소차가 시체를 수거해서 황포강에 버렸다.

일본군은 상해로 통하는 도로를 봉쇄했고 상해 외곽을 조여왔다. 난데스까 카바레에서는 밤마다 외항 선원과 댄서들이 안고 돌았다. 일본군 폭격기 30대가 상해 중심부를 부수었다. 오송포대(吳淞砲臺)에서 중국군이 대공포를 쏘았다. 폭격기들은 급상승해서 외곽으로 날아갔다. 육군의 상해 진공이 임박하자 일본 경찰은 중국인 밀정들을 상해로 투입해서 사찰을 강화했다. 하춘파의 망원들이 잇달아 절선되었다.

상해를 떠나기 전날, 하춘파는 마동수를 난데스까 카바레 건너편 노점 좌판으로 불러냈다. 마동수는 배달학원에서 어머니, 아버지, 해, 달, 별을 가르치다가 전갈을 받았다. 하춘파는 노점에서 단팥죽을 팔고 있었다. 하춘파가 물었다.

—갈 테냐? 날 따라서.

하춘파는 대만해협을 선편으로 빠져나가서 복건성(福建省) 천주(泉州)로 갈 작정이었다. 아직도 갈 곳이 남아 있다는 것이 마동수는 믿기지 않았다. 하춘파에게 인연 있는 땅이란 애초에 없을 것이었다. 마동수는 대답하지 못했다.

—이제 다들 흩어져야 한다. 망(網)을 일단 해체했어. 넌 어디로 갈래?

마동수는 그 질문이 아무것도 묻고 있지 않다고 느꼈다. 하춘파는 다그쳤다.

—지금, 급하다. 여기가 아닌 데로, 어디든지 가라.

공습 사이렌이 울렸다. 폭격기 편대들이 두 방향에서 달려들었다. 빌딩 외벽에 폭격기 그림자가 흘러갔다. 폭격기들은 도심에서 급강하하면서 폭탄을 떨구었다. 빌딩이 무너져 내렸고 화염이 치솟았다. 바다 쪽으로 몰려 나간 편대들이 다시 거꾸로 돌아서서 도심으로 향했다. 폭격기들은 특정한 목표가 없이 시가지를 차례로 부수었다. 산꼭대기에서 중국군이 대공포를 쏘았다. 불붙은 폭격기 한 대가 공중제비를 돌면서 도심지에 거꾸로 박혔다. 중국군 패잔병들이 잿더미 옆에 그늘막을 치고 앉아서 옷을 벗어 이를 잡았다. 거리에 나와서 마작을 두던 노인들이 고개를 들어서 폭격기를 바라보았다.

사람들이 거리로 쏟아져 나와서 비명을 지르며 어디론지 달려갔다. 고지대 사람들은 부두 쪽으로 달렸고 해안 구역 사람들은 산 쪽으로 달렸다. 아기 업은 여자들이 쏟아져 내리는 벽돌을 막으려고 머리 위에 밥상을 뒤집어쓰고 달렸다. 퇴로가 막힌 부자들이 빌딩 고층에서 지폐를 뿌렸다. 지폐 위에 사람들이 엎치고 덮쳤다. 지폐를 뿌린 아편 밀매상은 15층에서 뛰어내려 몸뚱이가 흩어졌고 그 위로 빌딩이 무너져 내렸다.

—가자. 가자.

하춘파는 노점 좌판을 뒤집어엎었다. 하춘파는 권총을 빼 들고 군중 속으로 뛰어들어갔다. 마동수는 콘크리트 더미 뒤에 숨어서 하춘파를 관찰했다. 하춘파는 권총을 쥔 손으로 앞 방향을 가리키며 군중을 향해 소리쳤다.

—돌격, 돌격 앞으로. 반도 쪽으로!

하춘파는 인파에 부딪혀 쓰러졌고, 다시 일어나 뭐라고 외치다가 다시 쓰러졌고, 쓰러져서 밟혔다. 다시 일어선 하춘파는 아우성치는 군중 속으로 사라졌다. 배달학원이 있는 언덕에 일본군 함포가 떨어졌다. 화염이 일고 연기가 치솟았다. 하춘파가 군중 속으로 사라진 후에도 마동수는 한참 동안 그 거리에 남아 있었다.

압록강

동경 맥아더 사령부에서 작전참모는 주사위에 군단, 사단, 연대, 대대 표시를 붙여서 대형 지도 위에 펼쳤다. 작전참모는 주사위를 움직여서 부대들을 이동 배치했다. 부관이 주사위가 움직인 방향으로 지도 위에 화살표를 그렸다. 화살표는 한반도의 산맥을 넘고 강을 건너갔다. 사령관은 작전참모의 구상을 재가했다. 화살표는 각 전선의 야전군사령부로 타전되었고, 예하 부대에 하달되었다. 진격 명령을 받은 부대들은 돌파할 수 없는 산맥과 계곡에 가로막혀 눈에 파묻혔다. 중부 산악에서 중공군에 포위돼서 고립된 대대장은 닷새 만에 복구된 전화선으로 사단에 보고했다. 대대장은 관통상을 입은 왼쪽 다리에 동상이 걸려 고름이 흘렀다.

—저는 이제 죽습니다. 지금 인원은 52명입니다. 부대를 해산하겠습니다. 각자 살 길을…….

—허락하지 않는다. 화살표에 따르라. 귀관이 죽은 후에도 부대는 지시받은 화살표 방향으로 진격하도록 조치하라. 명령이다. 복창하라.

—사후에도 지휘권이 있습니까?

—없다. 그러니까 죽기 전에 조치하라. 화살표 방향으로 진격하라.

—땅 위에는 화살표를 그릴 수가 없습니다.

—이봐. 중령, 반복한다. 화살표대로 진격하라. 명령이다. 복창하라.

중공군은 물이 스미고 어둠이 내리듯이 압록강을 넘어왔다. 중공군은 참호나 진지를 만들지 않았고 낮에는 엎드려 있다가 밤에만 이동했다. 중공군은 개활지로 접근하지 않고 능선에서 능선으로 옮겨 갔다. 미군의 정보는 빈약했고 부(富)에 대한 자만심으로 왜곡되어 있었다. 미군 정보국은 중공군을 미개한 동양의 개돼지로 평가했다. 중공군은 보급과 작전과 기강이 없는 거지 떼이며 군인의 품격을 포기한 인간쓰레기라고 미군 정보국은 워싱턴에 보고했다.

전선이 낙동강까지 밀렸을 때 동경 맥아더 사령부는 적의 주력을 후방 깊숙이 끌어들여 소모를 극대화한 후에 집중된 화력으로 반격하는 것이 거시적 전략이라고 말했다. 동양 고대 병법서에 나와 있는 말인데, 적들도 그 병법서를 교재로 쓰고 있었다. 낙동강에서 총반격할 때, 전선과 후방에서 노래가 울려 퍼졌다.

전우의 시체를 넘고 넘어
앞으로 앞으로
(……)
원한이야 피에 맺힌
적군을 무찌르고서
꽃잎처럼 사라져간
전우야 잘 자라*

전선이 압록강에서 밀려 내려올 때도 노래가 울려 퍼졌다.

원수와 더불어 싸워서 죽은

우리의 죽음을 슬퍼 말아라

깃발을 덮어다오 붉은 깃발을

그 밑에서 전사를 맹세한 깃발*

　노래는 시체로 덮인 산야에 퍼져 나갔다. 미군은 중장비를 끌면서 후퇴했다. 미군은 장비를 이동시킨 거리만큼만 이동했다. 전투가 끝난 도로에서, 포탄을 맞아 찌그러진 탱크에 죽은 기갑병들의 뇌수가 얼어붙어서 달빛에 번들거렸고, 산악 진지에서 기관총사수들은 사격 자세로 얼어 죽어 있었다. 추위에 하늘이 팽팽했고 달빛이 밝았다. 동경 맥아더 사령부는 대형 지도 위에 화살표를 거꾸로 그려놓고 후퇴를 명령했다. 화살표는 각급 부대로 하달되었다.

　전투가 끝난 고원에서 종군 사제가 나뭇가지를 얽어서 시체들 앞에 십자가를 세우고 미사를 드렸다. 인간의 죄가 마침내 사해지기를 사제는 울면서 기도했다. 시체들만이 미사에 참례했다. 이 모든 살육과 파괴가 어떤 의미에 도달하는 것인지를 사제는 울면서 하느님께 물었다. 고원의 저녁 햇살에 십자가의 그림자가 길게 늘어졌다. 눈 덮인 시체 위에 또 눈이 내렸다. 사제는 시체 위에 성수를 뿌렸다. 날이 저물고 사제는 부대로 돌아갔다. 나무 십자가가 고원에 남아서 눈을 맞았다. 계곡과 능선이 눈에 덮이고 달빛이 스며서 죄는 보이지 않았다.

흥남

　—남쪽으로 가라. 포탄이 떨어지는 쪽에 있으면 죽고, 포탄을 쏘는 쪽으로 가면 산다. 쏘는 쪽으로 가라. 흥남으로 가서 미군을 따라가라. 밀릴 때는 밀려가야 산다. 벋대지 마라. 나는 못 간다. 나는 여기서 죽는다.

　이도순의 아버지는 그렇게 가족들을 피난길로 내몰았다. 한만국경까지 진격했던 미군은 동부 산악에서 후퇴했다. 후퇴 대열은 중장비를 끌고 황초령(黃草嶺)을 넘었다. 미군은 흥남항에서 해상으로 철수할 작정이었다. 미군의 철수 계획은 중공군의 졸병도 알았고 피난민들도 알았다. 미군은 피난민들의 승선을 허락하지 않는다고 거듭 말했지만 피난민들은 흥남항으로 몰렸다.

북청(北靑)에서 흥남에 이르는 해안 도로에 피난민들이 가득 차서 흘러갔다. 이도순은 머리에 쌀 한 말을 이었고, 신혼의 남편이 돌 지난 딸을 업었다. 미군기들이 도로를 폭격하면 피난민들은 땅에 엎드렸다.

—손을 잡아라. 허리띠를 잡아…….

늙은이와 젊은이가 새끼로 허리를 한 줄로 묶었고 노파의 허리를 묶은 줄을 손자가 잡고 걸었다.

아기가 남편의 등에서 오줌을 쌌다. 남편이 처네를 풀었다. 이도순은 보따리에서 기저귀를 꺼냈다. 딸아이의 작은 성기가 추위에 오므라져 있었는데 그 안쪽은 따스해 보였다. 거기가 따뜻하므로 거기가 가장 추울 것이었다. 젖은 기저귀에서 김이 올랐다. 아이는 맹렬히 울었다. 작은 입에서 김이 새어 나왔다. 이도순은 아이를 가슴 앞쪽으로 묶었다. 이도순은 앞섶을 헤쳐서 젖을 꺼냈다. 이도순은 손바닥으로 젖을 부벼서 언 젖꼭지를 풀었다. 이도순은 젖 빠는 아이 엉덩이를 손으로 받치고 걸었다. 아이가 젖니로 젖꼭지를 깨물며 오물거릴 때 이도순은 온몸의 혈관이 아이의 몸속으로 빨려 들어갈 듯했다. 어미의 몸과 아이의 몸이 아이

의 입의 흡인력으로 연결되어서 어미의 체액이 아이의 밥이
었다. 걸으면서 젖을 먹이니까, 어미의 몸이 흔들려서 아이
는 자주 젖꼭지를 놓쳤지만 다시 입술로 더듬어서 젖꼭지
를 물었다.

미군은 흥남부두를 중심으로 3중으로 반원형 저항선을
기획했다. 미군은 흥남으로 집중하는 중공군을 공습으로 막
아내면서 철수 작전을 엄호했다. 폭격기들이 제1저항선 너머
의 산악을 폭격했고 내항에 들어온 구축함이 제2저항선을
탄막(彈幕) 사격했다. 미군은 장진호 고원을 지나고 황초령
을 넘어서 중장비와 군수물자를 끌고 왔다. 부상자들은 중
장비 위에 실려 왔다. 일주일 동안 폭격이 계속되었고, 피난
민들은 눈 위에서 노숙했다. 미군은 피난민을 승선시키지 않
기로 했으며, 미군이 떠난 뒤에 중공군이 들이닥치면 미군
을 따라나섰던 피난민들을 바다에 쓸어 넣을 것이라는 소
문이 돌았다. 소문은 아침과 저녁이 달랐다.

폭격기들이 마지막 저항선을 부수었고 미군은 수송선 안
으로 병력과 장비를 옮겨 실었다. 피난민들은 뒤엉키며 부
두 쪽으로 몰렸다.

미군이 수송선에 피난민을 태우기로 했다는 소문은 발표

도 없이 퍼져 나갔다. 수송선들이 모래 위로 선수를 들이밀고 철문을 열었다. ……손을 잡아라. 허리띠를 붙들어……. 무장 헌병들이 뒤엉킨 군중들을 곤봉으로 후려갈겼다.

이도순은 반쯤 쓰러진 자세로 배 안으로 떠밀렸다. 이도순은 남편의 손을 잡지 못했다. 아이는 남편이 업고 있었다. 수송선이 철문을 들어 올리고 시동을 걸었다. 철문에 낀 사내 세 명이 헌병의 곤봉을 맞고 물 위로 떨어졌다. 수송선이 후진으로 선착장을 떠났다. 부두에서 배에 타지 못한 사람들이 끌어안고 울부짖었다. 아이고, 아이고……. 십자가를 멘 사내가 통곡하는 군중 사이를 헤집고 다니며 소리쳤다.

―회개하라. 종말이 가까웠다.

수송선이 외항 쪽으로 선수를 돌렸다. 부두에 남은 기독교인들이 멀어져 가는 배를 향해 노래 불렀다.

주님 인도하시니
우리 두려움 없네
영원 영원
영원하신 품에 안기세

매케이 소령의 비행편대는 항공모함 프린스턴호에서 발진
했다. 매케이 편대는 흥남 상공을 저공비행하면서 부두 상
황을 정찰했다. 매케이 편대는 수송선들이 모두 외항을 빠
져나갈 때까지 흥남 상공을 선회했다. 황초령 쪽에서 야포
를 끌고 흥남으로 접근하는 중공군의 대열이 보였다. 시가
지의 불길은 부두 쪽으로 쏠렸다. 배에 타지 못한 피난민들
은 부두에서 해산하지 않았다. 날이 저물고 있었다. 배에 싣
지 못한 탄약과 군수물자들이 선착장 북쪽, 해안선이 구비
치는 목측(目測) 너머까지 야적되어 있었다. 중공군의 선발
대는 흥남 시가지로 진입했다. 마지막 수송선이 항구를 빠
져나갔다. 흥남 등대는 소등했다. 모함을 향해 고도를 낮출
때 매케이 소령은 함장의 무선전화를 받았다.

— 적정(敵情)이 보이는가?

— 적들은 흥남 시가지를 수색하고 있다.

— 항만 상황을 보고하라.

— 수송선은 모두 빠져나갔다. 항만에는 구축함만 남아 있
다. 등대가 꺼졌다. 적의 선발대가 부두 쪽으로 접근하고 있다.

— 민간인들은 흩어졌나?

— 흩어지지 않았다. 그들은 부두에 모여 있다. 통제 불능

의 군중이 군수물자 사이사이에 모여 있다. 일몰에도 돌아가지 않는다. 의도는 알 수 없다.

—알았다. 그들의 의도는 우리의 관심 사항이 아니다. 돌아오라.

외항을 빠져나간 수송선단은 남쪽으로 방향을 틀었다. 매케이 소령은 무선으로 수송선 선장 딜렌 중령을 불렀다.

—나는 임무 끝이다. 잘 가라. 메리 크리스마스.

피난민들은 산사태처럼 수송선 안으로 밀려들었다. 미군은 배에 탄 사람들의 숫자와 신원을 확인할 수 없었다. 미군 헌병들이 곤봉을 휘둘러서 피난민들을 갑판 위에 주저앉혔다.

마지막 폭격기들이 항모로 돌아왔다. 항구 안에 남아 있던 구축함이 16인치 포로 흥남부두를 부수기 시작했다. 함포는 해안에 쌓인 탄약과 중장비를 부수고 접안 시설을 부수었다. 함포가 부두를 부술 때 민간인들은 부두에 모여 있었다. 불길과 연기에 휩싸여서 부두도 산맥도 보이지 않았는데, 연기 속으로 포탄은 계속 날아갔다.

수송선 갑판에서 피난민들은 폭격 맞는 흥남부두의 불길

을 바라보았다.

　— 아이고, 아이고, 아이고.

'아이고'가 배에서 배로 이어지면서 바다 위로 흘러갔다. 아이고는 저마다의 몸 안에 갇혀 있던 폭발물처럼 터져 나왔다. 선단은 남항했고, 아이고는 해풍에 실려 북으로 흘렀다.

이도순은 남편이 배에 탔는지 알 수 없었다. 수송선 철문이 닫힐 때 문짝에 끼었다가 헌병의 곤봉에 맞아 물 위로 떨어진 사내가 남편이 아닐까 싶기도 했다. 남편은 아기를 업고 있었는데, 그 사내도 등에 무언가를 지고 있었다. 북청 외곽 산간 마을에서 혼인은 오래된 습속을 견디고 받아들이는 의식이었는데, 첫 아이가 태어나서 피 냄새를 풍길 때 이도순은 그 습속에 거역할 수 없으리라는 것을 알았다. 이도순의 신랑은 상고를 나왔고 금융조합 서기 보조원이었으므로 딸 가진 아낙들은 이도순의 혼인을 부러워했다. 배 안에서, 남편은 보이지 않았다.

배가 남행 항로로 접어들어서 흥남부두의 불길이 보이지 않을 때까지 아이고는 바다에 울렸다. 산후의 피 냄새와 돌지난 딸아이의 추운 성기가 흥남의 불길 속으로 소멸해 버리는 조바심에 이도순은 오줌을 지렸다.

동해의 파도는 3미터가 넘었다. 파두(波頭)에 올라탄 배가 내리박힐 때 사람들의 입에서 토사물이 솟구쳐서 앞사람의 등판에 쏟아졌다. 사람들은 갑판 위에 빽빽이 들어차서 움직일 수 없었다. 똥이 마려운 사람들은 앉은 자리에서 똥을 쌌다. 배가 곤두박질칠 때 사람들의 항문은 괄약 기능을 상실했고 똥은 사람들의 의지와는 무관하게 항문 밖으로 분출했다. 배가 흔들려서 사람들은 똥과 오줌에 버무려졌다. 미군 헌병이 소리쳤다.

─갓댐, 스팅키 애니멀!

파도가 뱃전을 때리면 물보라가 갑판 위로 끼쳐왔다. 사람들은 판초 밑으로 몸을 숙였다. 움직일 수 없는 사람들 사이로 소문은 빠르게 퍼져 나갔다. 미군 배를 타지 못한 사람들은 발동기 달린 어선에 나누어 타고 미군 배를 뒤따라오기로 되어 있었는데, 어선이 출발하기 전에 함포사격이 시작돼서 모든 일이 알 수 없이 되었다는 말이 떠돌았다. 강원도 쪽으로 가려는 사람들은 걸어서 출발했는데 미군이 흥남을 떠난 뒤에 중공군이 빠르게 남하했다면 그 또한 어찌 되었는지 알 수 없다는 말도 떠돌았다.

원양으로 나오자 배는 소등하고 저속으로 항진했다. 여기 저기서 미친 사람들이 일어나서 소리쳤다.

—배를 돌려라. 흥남으로 가자.

라고 외친 사내는 사람들을 헤집고 난간으로 가서 물로 뛰어내려 스크루에 감겼다. 얼어 죽은 시체들이 사람들 틈에 끼어 앉아 있다가 옆으로 쓰러졌다. 헌병이 미쳐 날뛰는 자들을 끌어다가 중장비 바퀴에 묶었고 시체는 물 위로 던졌다. 헌병이 비스킷을 뿌렸다. 비스킷이 바람에 날렸고 사람들이 쏠렸다. 육지 쪽으로, 어두운 산맥이 해안을 바짝 막아섰고 불빛 한 점 보이지 않았다.

미군 수송선은 이틀 만에 부산에 당도했다. 흥남에서부터 피난민을 가득 태운 어선 세 척이 수송선 뒤를 따르고 있었다. 어선들은 부산으로 오지 않았고 동해안의 다른 포구에도 입항하지 않았다. 수송선이 철문을 열었다. 똥오줌에 버무려진 사람들이 비척대며 배에서 내렸다. 부두에서 피붙이를 찾은 사람들이 끌어안고 울었다. 사람들은 바람 부는 저녁의 어스름 속으로 사라졌다. 이도순은 배에서 사람들이 모두 내릴 때까지 선착장에서 기다렸다. 남편과 아이는 보이지 않았다. 적십자 어깨띠를 두른 여자들이 배에서 내리는 사람들에게 빵 한 개와 가마니 한 장을 나누어 주었다. 이도순은 빵과 가마니를 받았다.

서울

마동수는 1945년 가을에 만주에서 서울로 돌아왔다. 상해에서 하춘파와 헤어진 뒤 8년 동안 마동수는 만주 동북 지방을 떠돌았는데 마동수는 이 기간의 일을 입 밖에 내지 않았다. 마동수는 아편에 절어 있었다. 시간과 기억들은 앞뒤가 뒤섞여서 번져 있거나 시간은 기억 속에 자취를 남기지 못했다. 마동수는 약초 도매상이나 한의원, 아편 밀매업자들을 찾아다니며 약초를 관리하는 조수로 일하면서 아편을 훔쳤다. 아편은 마동수의 목숨에서 시간을 제거시켰다. 약 기운이 돌 때 마동수는 시간의 사슬에서 풀려나서 무시간(無時間)의 벌판에 누워 있었고, 약 기운이 풀리면 무릎

뼈가 톱으로 썰어내듯 저렸다. 일본이 패전했다는 소식에 중국인들이 거리에서 아우성칠 때도 마동수는 그 무시간의 벌판에 침을 흘리며 누워 있었다. 일본 패전의 결과로 조선이 독립된다는 것을 마동수는 며칠 후에 알았다. 상해에서 헤어진 하춘파는 어느 도시의 기마 동상 위에 올라타서 말채찍을 휘두르며 반도 진공을 독전하고 있는 것인지, 상해가 폭격당할 때 베트남, 버마, 스리랑카로 흩어진 하춘파의 동지들은 조선으로 돌아갈 차비를 하고 있을 것인지, 마동수는 아무의 소식도 알지 못했다.

아편에서 깨어나는 통증 속에서, 서울로 돌아가야 할 것인지를 마동수는 생각했다. 땅 위의 어느 곳도 고향은 아니라는 걸 마동수는 상해 시절부터 알고 있었지만, 돌아가야 한다는 이끌림은 저항할 수 있는 것이 아니었다. 아침 해를 받는 동쪽 언덕에는 양명(陽明)한 기운이 서려 있어서 그 흙을 달여 먹으면 몸속에 쌓인 독을 사(敍)할 수 있고 샘물에 새벽달이 비칠 때 거기에 고인 물을 마시면 미쳐서 헤매이는 넋이 제 몸으로 돌아오고 억눌린 것이 목구멍에 걸려 컥컥대는 병증을 재울 수 있다고 『본초신강(本草新講)』에 쓰여 있었다. 마동수는 그 처방의 비의(秘意)에 솔깃했으나 흙을 달여 먹지는 않았다. 그 처방대로 흙을 먹고 샘물을 마시면 하춘파의 광태를 따라갈 것 같아서 두려웠다.

마동수는 여순에서 배를 타고 인천으로 들어왔다. 상해 부두의 냄새는 선박 폐유와 철제 구조물의 쇠 비린내가 섞여 있었는데, 인천 부두는 소금기에 절은 공기에 생선 쓰레기 썩는 냄새가 섞여 있었다. 서울에는 이제 생사를 알 수 없는 어머니가 있거나 혹은 없을 것이었고 그 이외의 연고자는 없었다.

경인 가도 주변의 풍경은 예나 똑같아서, 놀라웠다. 여기가 거기로구나 싶었다. 가을바람이 버스럭거렸고 야산에서 흙냄새가 끼쳐왔다. 저녁을 맞는 마을들은 산 밑에서 추워 보였다. 초가집에서 저녁연기가 올랐고 누런 개가 엎드려서 하품을 했다.

마동수는 인왕산 서쪽, 현저동 판자촌 비탈에 월세방을 얻었다. 거기가 25년 전에 그가 살던 동네였다. 살던 집은 기와 세 칸이 그대로 남아 있었는데 일본말을 쓰는 낯선 사내가 들어와 살면서 두부 가게를 하고 있었다. 마동수는 여기가 내 살던 집이라고는 말하지 않았다. 두부 가게 주인에게 어머니의 행방을 물었더니, 집주인이 여러 번 바뀌어서 알 수 없다는 대답이 돌아왔다. 마동수는 살던 집을 구석구석 들여다보았다. 부엌의 가마솥이나 툇마루, 장독대에 어머니의 흔적이 남아 있었다. 산동네에 물이 귀해서 마당에 물독을 묻어놓고 있었는데, 물독도 그대로 남아 있었다. 이웃들도 다 바뀌어서 어머니의 행방을 아는 사람은 없었다. 월세방에서 짐을 푼 다음 날, 마동수는 남산경찰서 뒷골목 해장국집에서 저녁을 먹었다. 국물 맛은 25년 전과 똑같았다. 사골 뼈를 우려낸 물에 시래기를 고아서 국물은 달고 깊었다. 마동수는 그 국물에 밥을 말아서, 숟가락에다 깍두기를 한 점씩 얹어서 먹었다. 깍두기는 새우젓에 버무려서 굴을 넣은 서울식이었다. 아삭거리는 무에 굴의 향기가 배어 있었다. 국물은 25년의 세월을 건너서 다가왔다. 술청에는 거뭇거뭇한 사내들이 등을 돌리고 앉아서 소주를 마시고 있었다.

여기가 거기인가……. 여기가 어디인가 싶어서 마동수는 주위를 두리번거리며 국밥을 먹었다. 김이 자욱해서 눈앞이 흐렸다.

현저동 비탈 마을에, 밤이면 다듬잇방망이 소리가 퍼졌

다. 가을 밤공기가 맑아서 다듬이 소리는 멀리 나갔다. 방망이 소리는 빠른 박자로 솟아올랐다가 느리게 흘렀다. 아랫동네 방망이 소리가 윗동네 방망이 소리를 일깨웠고 먼 곳의 방망이 소리가 이 집 저 집 방망이 소리를 이끌며 다가왔다. 개들이 소리 나는 쪽으로 귀를 기울였지만 소리에 익숙해져서 짖지 않았다. 방망이 소리가 잦아지면 풀벌레 소리가 살아났다. 마동수는 자리에 누워서 방망이 소리에 떠다녔다. 여기가 거긴가. 여기가 거기로구나……. 자정 무렵에 방망이 소리는 이 집 저 집을 건너가서 끊어졌고 마동수는 소리의 끝자락에서 잠들었다. 아편 중독에서 좀 벗어나면 약재 장사를 해볼 작정이었지만 거래선을 찾을 수 없었다.

부산

1950년 여름에 인민군대가 서울로 진주했다. 국군이 미리
물러가서 시가전은 없었다. 인민군대는 제식훈련을 하듯이
팔다리를 직각으로 흔들며 대오를 갖추어서 도심으로 들어
왔다. 인민군대가 시가지를 행군할 때 사람들이 인공기를
흔들며 혁명 만세, 사회주의 조국 만세를 불렀다. 마동수는
원남동 로터리에서 스탈린 만세를 불렀다. 인민군은 대학
병원에 수용되어 있던 국군 부상병들을 마당으로 끌어내
총살하고 사체를 병원 담장에 널었다. 사체는 여름내 비를
맞았다. 인민군대에 징집된 고등학생들이 시가행진을 할 때
도 마동수는 원남동 로터리에 나와서 인공기를 흔들며 만

세를 불렀다. 원남동 로터리는 현저동 주민들의 지정 구역
이었다. 고교생들의 대열은 사체가 널린 대학 병원 담장 옆
으로 지나갔다.

야생 꽈리의 풋열매가 아편중독 치료에 효험이 있다고『본
초신강』에 처방돼 있었다. 동원이 없는 날 마동수는 야생
꽈리를 찾으러 인왕산을 뒤졌다. 무너진 성벽에 기대서 산
중턱까지 판잣집이 들어섰다. 집집마다 변소가 없어서 사람
들이 무너진 성벽의 돌을 밟고 앉아서 똥오줌을 누었다. 거
기에 파리가 끓었다. 펄럭이는 빨래 사이로 경복궁이 내려
다보였다. 전각들이 헐려 나간 마당에 먼지가 일었고 대궐
아궁이의 식은 재 냄새가 인왕산까지 끼쳐오는 듯했다. 산
아래 시가지에서 인민군 선전대 지프가 여자 목소리로 뭐라
고 고함을 지르며 지나갔다.

산 중턱 굿당에 인민군 하사관 두 명이 들이닥쳤다. 하사
관들은 무당들을 공개 처형해서 인민에게 유물론적 삶의
방향을 제시하라는 명령을 받고 있었다. 무당들은 달아나
고 없었다. 하사관들은 굿당을 불 지르고 뒷마당에 묻은 쌀
독을 파내서 쌀 다섯 말을 수거했다. 마동수는 운반조로 끌
려가서 쌀 다섯 말을 지고 산길을 내려왔다. 굿당 마당에 백

일홍이 피고 살찐 새들이 퍼덕거렸다.

그해 여름에 비가 많이 내렸다. 무너진 성벽에 쌓인 똥이 씻겨 내려서 골짜기로 똥물이 흘렀다. 여러 골짜기의 똥물은 청계천에 모여서 한강으로 갔다. 비가 그치고 구름이 갈라질 때 인왕산 치마 바위가 안개 위로 모습을 드러냈다. 젖은 바위가 햇빛을 받아 번쩍거렸고 그 아래 시가지는 안개에 가려서 보이지 않았다. 화전민들의 밭은 물에 휩쓸려 내려갔다.

여름내 빈 도심에 개구리가 창궐했다. 포탄에 팬 웅덩이에 개구리가 끓었다. 중앙청 회의실과 세브란스병원 대합실, 서울역 광장, 경무대 접견실, 종묘 월대, 반도호텔 로비에 개구리들이 들끓었다. 낮에 고등학생들이 인민항쟁가를 부르며 행진한 거리에서 밤에는 개구리들이 울어댔다. 개구리들은 하늘의 별들과 뒤섞여서 와글거렸다. 빈집 마당에 잡초가 올라와서 장독대를 덮었고 지붕에 버섯이 솟았다.

가을에, 국군이 서울에 들어왔다. 뒤처진 인민군은 서울에 남아 있었다. 국군은 골목마다 시가전을 치렀다. 마동수는 인왕산 바위틈에 숨어 있다가 시가전이 끝난 후에 월세방으로 돌아왔다. 마동수는 원남동 로터리에서 국군의 행군 대열을 향해 만세를 불렀다. 늦더위가 물러서자 개구리 떼는 사라졌고 풀벌레 소리가 도심에 가득 찼다. 마동수는 상해에서 가져온 짐 보따리 속에서 광석라디오를 찾아서 조립했다. 하춘파가 쓰던 공작 장비였다. 귀에 리시버를 걸면 광석이 잡아내는 목소리가 들렸다. 목소리는 멀고 희미했다. 광석의 각도가 바뀔 때마다 발신국이 바뀌어서 이쪽 저쪽 방송이 모두 들렸다. 마동수는 이불을 뒤집어쓰고 그 소리에 귀를 기울였다. 전선은 다가왔다가 밀려나기를 거듭하고 있었다. 인민군 방송은 해방된 남조선 인민의 헌신적 혁명 열기를 소개했다. 인민군대가 서울로 진주하자 수원, 평택, 안성의 칠십 노인과 젖먹이 딸린 여자와 열세 살 먹은 중학생이 자발적으로 거둔 양곡을 등에 지고 8월의 불볕 아래 200리 길을 걸어서 와서 영등포에 주둔한 인민군 부대에 헌납했다고 아나운서는 말했다. 식량을 지고 서울로 가는 길 위에서 탈진해 죽고 폭격에 맞아 죽는 사람이 속출했는데, 역경이 모질수록 인민들은 침략자에 대한 적개심을 더욱 용출시켜서 죽은 사람의 짐까지 포개서 지고 기어코 서울까지 왔다고 아나운서는 말했다.*

자유 대한의 소리 방송은 자유를 찾아 적이 점령한 서울을 탈출해서 대구까지 내려온 거지 대장 박영철을 소개했다. 박영철은 40여 명의 거지 떼를 데리고 청계천, 명동, 수하동, 서울역에서 구걸했는데, 전쟁이 나서 도시가 텅 비자 집도 옷도 마음대로 차지할 수 있었지만 공산당이 거지들을 놀고먹는 기생충이라고 욕하면서 한강에 쓸어 넣겠다고 협박하자 무리를 이끌고 남하했다고 아나운서는 말했다. 박영철은 방송에 나와서, 거지들은 본래 가진 것이 없으므로 빼앗길 것도 없어서 겁이 없지만, 오직 구걸할 자유는 뺏기지 않는 것이 소원이며 다시 그리운 청계천으로 돌아가서 자유롭게 구걸할 날을 고대하고 있다고 말했다. 남하하자는 제안에 거지 떼들은 박수로 호응했고, 폐타이어에 매달려 발장구를 쳐서 한강을 건너, 자유의 남쪽으로 왔을 때, 목판을 멘 엿장수가 가위를 철거덕거리며 엿을 팔고 있었는데, 그 가위 소리에 자유의 고귀를 깨닫고 목이 메었다고 말하면서 거지 대장 박영철은 인터뷰를 마쳤다. 여자 아나운서는 "그 자유의 날이 다가오고 있습니다. 하루속히 청계천으로 돌아가시기 바랍니다" 하고 말했다.

동경 맥아더 사령부의 정찰기가 경의축선을 공중 촬영했

다. 정찰기는 대공포의 사정거리 너머를 비행했다. 기장 매케이 소령이 사령부에 무선으로 보고했다.

— 평양에서 서울에 이르는 200킬로미터 이상의 도로가 피난민으로 덮여 있다. 끝없이 흐른다. 더 이상의 정보는 없다. 근접 비행이 불가능하다.

동경 사령부는 항공사진을 분석해서 피난민 60만 명 이상이 하루 30킬로미터 정도씩 남쪽으로 이동하고 있다고 발표했다.

서울이 다시 위태로워지자 대통령은 대국민 담화를 발표했다. 전선의 일진일퇴에 일희일비하지 말고, 경거망동하지 말고 은인자중하라고 대통령은 말했다. 기자들이 서울 시민은 다시 피난을 가야 하는지를 대통령에게 물었다. 그것은 각자 임의로 결정할 일이고 정부가 간여할 수 있는 일이 아니라고 대통령은 말했다. 피난은 명령도 아니고 권유도 아니며, 잔류 또한 명령도 아니고 권유도 아니다, 갈 곳이 있고 갈 힘이 있는 사람은 피난을 가는 것도 무방할 것이며, 서울에 남아 있는 것도 무방하겠지만, 옥쇄주의가 반드시 현명하다고 할 수도 없다고 대통령은 말했다. 다만, 피난을 가기로 했다면 날씨가 추우므로 이부자리와 식량을 지참하는 것이 좋겠고, 피난 가는 사람들은 질서를 지켜서 문명한 국민의 성숙도를 우방 여러 나라에 보여달라, 또 피난을 가거나 서울에 잔류하거나 근신자제하고 태연자약하라고 대통령은 당부했다.

계엄사령부 민사부도 대통령 담화에 따른 지침을 발표했다. 피난 가는 사람들은 간선 도로를 군에 양보하고 이면 도로나 논밭 길을 이용해 달라, 피난민들은 부산, 대구 등 대도시로 집중하지 말고 지방 소읍으로 산개하라, 피난 갈 때 두고 가는 김치, 간장, 된장, 메주는 군부대에서 이용할 수 있도록 포장을 해놓고 떠나라, 피난을 가지 않는 가정들은 마당에 방공호를 깊이 파라, 일선과 후방이 한 덩어리가 되어 모든 물자와 언동을 전력(戰力)으로 귀일(歸一)시키라고 계엄사는 말했다.

마동수는 광석라디오로 뉴스를 들었다. 여자 아나운서 목소리는 날이 서 있었다. 그 말들이 돌 속에서 울렸다. 광석라디오의 감도는 희미했다. 말들은 다가오고 멀어졌다. 말들은 백색소음에 실려서 휩쓸려갔다.

'식량문제는 각자 해결하자!'는 표어가 골목에 붙었다. 마동수는 그 표어가 어느 쪽에서 붙인 것인지 알지 못했다.

마동수는 산 아랫마을 가게에서 호박을 사서 좁쌀을 넣고 죽을 끓여 먹었다. 여름에 호박을 사면 호박잎과 호박순을 덤으로 주었다. 가을에는 덤이 빠졌다.

겨울이 깊어지자 광석라디오에서 아나운서의 목소리가 다급해졌고, 사람들이 다시 피난길에 나섰다. 연말에, 마동수는 피난 열차 지붕에 올랐다. 부산으로 가야 하는지 대구나 김천에서 내려야 하는지, 어디서 내리든 별 차이 없을 것이었다. 열차 지붕 위 아이들은 죽고 또 죽었다. 바람에 날려 가서 죽고 졸다가 떨어져 죽고, 열차가 터널을 지날 때 터널 천장에서 늘어진 철근에 부딪혀서 죽었다. 열차는 며칠 밤 며칠 낮이 걸려서 부산에 도착했다. 마동수는 그 낮과 밤을 헤아릴 수 없었다. 열차 지붕 위에서 마동수는 상해를 생각했다. 상해에서 고향을 그리워했던 것인지는 확실치 않았다. 확실치 않았지만 그리워했던 만큼 버리고 싶었던 것 같았다. 여기가 어디인가, 여기가 거기인가, 여기가 거기로구나……. 부산진역이 철로의 끝이었다. 마동수는 부산진역에서 내렸다. 적십자 어깨띠를 두른 여자들이 피난민들에게 빵 한 개와 가마니 한 장을 나누어 주었다. 마동수는 가마니와 빵을 받았다.*

낙동강

　부상병들은 부산으로 후송되었다. 내륙 산악 고지의 부
상병들은 트럭에, 동부 해안의 부상병들은 어선에 실려서
부산으로 왔다. 부상병들은 국군 병원과 민간 병원에 분산
수용되었다. 병원들은 마당에 천막을 치고 가마니 위에 부
상병들을 눕혔다. 간호원들이 피에 절은 군복을 벗겨서 마
당에 쌓아놓았다. 피 묻은 모포와 붕대도 그 옆에 쌓여져
있었다. 부상병들의 군복을 빨아서 다시 전선으로 보내고
붕대나 담요도 빨아서 재사용하라고 군 의무관은 각급 병
원에 지시했다. 병원은 세탁 일을 민간에 위탁했고 빨래의
물량에 따라 노임을 지급했다. 병원 서무 직원이 빨래를 검

사해서 핏물이 덜 빠졌거나 덜 마른 빨래는 노임에서 제외
했다. 빨래꾼 모집에 지원자가 몰렸다. 병원은 뽑기로 빨래
꾼을 결정했다. 취업의 기회를 공정히 하라는 내무부 지시
에 따라 병원은 3개월에 한 번씩 재추첨했다.

마동수는 뽑기에 붙어서 시립 병원 빨래꾼이 되었다. 마
동수는 피에 절은 군복과 모포를 지게에 지고 병원에서부
터 낙동강 하구까지 걸어갔다. 부상병들이 벗어놓은 군복에
는 인민군과 중공군의 군복이 섞여 있었고 민간인의 겨울
옷도 있었다. 누빈 외투, 솜바지도 있었고 명찰과 계급장이
달린 군복도 있었다. 군복들은 피와 고름이 굳어서 뻣뻣했
다. 살점이 붙어 있었고, 거기에 곰팡이가 슬어 있었다.

낙동강 하구에는 빨래꾼들이 모여들어서 자리를 다투었
다. 물이 가깝고, 발이 빠지지 않는 자리가 좋은 자리였다.
빨래꾼들은 모래에 반쯤 묻은 드럼통에 강물을 채우고 빨
래를 담갔다. 잿물을 풀고 막대기로 저으면 핏물이 우러나
왔다. 산악 부대의 피와 해안 부대의 피, 중공군의 피와 인
민군의 피, 국군의 피와 학도병의 피, 상등병의 피와 대위의
피가 섞였다. 핏물에서 비린내가 났다.

마동수는 핏물 빠진 군복을 작대기로 건져서 낙동강 물에

행구었다. 하구의 강물은 소금기가 섞여서 억세었다. 빨래꾼들은 새벽에 빨아서 낮 동안에 말렸고, 저녁에 돈을 받았다. 아이들이 따라와서 일을 거들었다. 아이들은 붕대와 속옷을 빨았고, 파목(破木)에 불을 붙여 죽을 끓였다. 빨래꾼들은 둑방 안쪽 공터에서 세탁물을 말렸다. 미루나무 사이에 군용 전깃줄을 매어놓고 빨래를 널었다. 피에 절은 군복은 잿물에 빨아도 얼룩이 남아 있었다. 빨래는 고수부지 공터를 메우고 바다 쪽까지 펼쳐졌다. 군복의 팔다리들이 해풍에 펄럭였고 갈매기들이 내려앉아 흙 묻은 부리를 군복에 닦았다.

빨래 도둑들이 젖은 군복을 걷어 갔다. 빨래꾼들은 교대로 빨래를 지켰는데, 감시자 중에도 도둑이 있었다. 도둑들은 펜치로 빨랫줄을 끊고 빨래가 땅에 떨어지면 더플백에 넣어서 지고 달아났다. 병원에서는 잃어버린 물량만큼을 노임에서 제했다. 저녁에, 해가 강 건너로 내려앉았고 썰물의 하구는 헐거웠다. 말라서 가벼워진 군복 소매와 가랑이가 바람에 퍼덕거렸다. 가랑이들의 그림자가 땅 위에서 흔들렸고, 줄에 널린 붕대에 노을이 스몄다.

이도순은 겨울 추첨에 뽑혀서 도립 병원 빨래꾼이 되었다.

이도순은 함남 지역 피난민들과 함께 공설 운동장에 수용
되었다. 흙바닥에 천막을 치고 가마니를 깔았다. 밤에는 가
마니 위에서 잤고 낮에는 낙동강 가 빨래터로 갔다. 남편과
젖먹이를 잃어버린 후에 이도순은 젖이 불어서 무거웠다. 불
은 젖이 흘러나와서 앞섶을 적셨다. 흥남 북쪽 해안에서 떠
난 어선들이 남쪽 어느 항구에도 입항하지 않았다는 소문
을 이도순은 천막에서 들었다. 이도순의 친정은 그 해안 마
을에서 무동력선으로 물고기를 잡고 있었다. 이도순은 바다
쪽을 애써 외면했지만, 시선이 닿는 곳마다 바다였다.

　첫날, 이도순은 빨랫감을 보자기에 싸서 머리에 이고 낙
동강 하구로 갔다. 어느 자리에 앉아서 일을 해야 할지, 이
도순은 빨래꾼들 사이를 두리번거렸다.

　마동수는 드럼통 속의 빨래를 작대기로 휘젓고 있었다.
마동수는 우러난 핏물을 쏟아 버리고 나서 고개를 들 때,
머리에 짐을 이고 서성이는 이도순을 보았다. 여자는 무명
적삼에 통치마를 입었고 맨발에 검정 고무신을 신고 있었
다. 얼굴은 머리에 인 짐 보따리에 가려서 보이지 않았고 그
아래로 검은 머리카락이 흘러내렸다. 여자는 목이 길어서
짐을 인 머리가 위태로워 보였다. 여자는 어디에 짐을 내려

놓아야 할지 몰라서 주춤거리고 있었다. 마동수의 눈에, 여자는 땅 위에서 흔들리는 빨래 그림자처럼 보였다. 마동수는 여자의 눈에도 자신이 그렇게 보일 것이라고 생각했다. 마동수는 저도 모르게 말을 꺼냈다.

—자리가 따로 없소. 아무 데나 앉으시오.

마동수는 자신의 목소리를 들었다. 귀국한 이후에, 거의 아무 말도 하지 않고 살다가 부산에 피난 와서 처음 말을 하고 있는 느낌이었다.

이도순은 머리에 인 짐을 내려놓고 긴 머리채를 목뒤로 쓸어 넘겼다. 이도순의 얼굴이 드러났다. 마동수는 흠칫 놀랐다. 그을린 얼굴에 까만 눈이 박혀 있었다. 작고 쏘는 눈이었다.

—드럼통이 없으면, 일하기가 어렵소. 오늘은 우선 내 통을 쓰시오.

마동수가 손으로 드럼통을 가리켰다. 마동수의 손가락은 가늘고 길었다. 이도순은 저런 손가락으로 어떻게 빨래 일을 할 수 있는지 의아했다. 남편의 손가락과는 정반대였다. 남편의 손가락은 굵었고 연장을 쥐는 힘이 완강했다. 영도 다리 아래 땅바닥에 점쟁이 여자들이 산신령 그림을 펴놓고 점을 쳤다. 이도순은 점쟁이 여자한테 남편의 행방을 물은 적이 있었다. 점쟁이 여자는 이도순의 남편이 홍남에서 미군 수송선에는 타지 못했고 쪽배에 끼어 타고 남쪽으로 오고 또 오는 중인데, 바다가 거칠어서 배가 울릉도 너머에까지 밀려가 있으니 언제 올는지 알 수 없다며 한숨을 쉬었다.

—너무 기다리진 말어. 배가 와도 사람이 안 오고 넋만 올 수도 있어. 살아서 기별 없는 것보다 죽은 편이 더 나은 거야. 그런데, 기별이 없으니 살았는지 죽었는지 알 수가 있어야지. 그러니까 인연이 원수여. 눈빛에 물기가 있으니 아래가 실해서 자식은 또 있겠구만.

점쟁이 여자는 두만강 가 회령에서 강 건너 다니는 장사꾼들 길점을 봐주었더랬는데, 자기도 황초령에서 가족을 놓쳤다고 말했다. 그때 이도순은 남편과 딸이 죽었을 수도 있다는 생각이 들었다. 남편의 손가락과 정반대로 생긴 마동수의 손가락을 보면서 이도순은 그 점쟁이의 말을 떠올렸다.

—빨래를 이 통에 담그시오.

마동수가 말했다. 이도순은 피에 절은 군복을 드럼통에 넣었다. 마동수가 잿물을 풀었다.

—좀 지나면 핏물이 우러날 것이오. 두 번쯤 우려내고 강

물로 헹궈서 말려야 하는데, 덜 마르면 돈을 못 받소.

마동수가 작대기로 빨래를 저었다. 군복에서 핏물이 우러나왔고 거품이 일었다. 이도순은 드럼통 옆에 앉아서 벌게지는 핏물을 들여다보았다. 핏물을 들여다보면서 이도순은 또 영도다리 아래 점쟁이 여자의 말을 떠올렸다. 젖이 흘러나와 무명 적삼 앞섶을 적시고 고랑으로 흘러내렸다. 바람이 불어서 젖은 옷이 척척했다. 마동수가 작대기로 군복을 건져서 강물에 헹구었다. 핏자국이 얼룩으로 남아 있었다.

─한쪽을 잡으시오.

마동수가 이도순에게 젖은 군복 바짓가랑이 쪽을 내밀었다. 마동수는 왼쪽으로 이도순은 오른쪽으로 빨래를 비틀었다. 벌건 물이 떨어졌다. 둑방이 꺾이는 먼 하구까지 빨래가 널려서 퍼덕거렸다. 새들이 끼룩거리며 건조장 쪽으로 날아왔다. 새들의 그림자가 빨래 위를 스쳤다. 날이 저물었다. 마동수는 마른 빨래를 걷었다. 마동수는 빨래 보따리를 지게에 지고 이도순은 머리에 이고 낙동강 둑방 길을 걸었다. 그림자가 빨래 보따리를 지게에 지고, 머리에 이고 따라왔다.

아가미

군복 빨래 작업은 봄에서 가을까지 계속되었다. 마동수가 왼쪽으로, 이도순은 오른쪽으로 빨래를 비틀었다. 추첨에 떨어져서 일당이 없을 때도 이도순은 빨래터에 나와서 일을 거들었다. 가을장마에 빨래가 썩어서 벌레가 슬었다. 마동수는 드럼통 밑에 화덕을 파서 불을 때고 잿물을 풀어서 빨래를 삶았다. 이도순이 강물에 떠내려오는 파목을 주워 왔고 마른 빨래를 걷어서 꾸렸다. 빨랫거리가 없는 날 마동수는 경부선 철로 가에 흩어진 코크스 찌꺼기를 주워서 풀빵 굽는 노점상에 팔았다. 날이 저물면 마동수는 우암동 피난민 수용소에서 잠을 잤다. 그 자리는 소 시장이었는데, 전쟁이 나서 소 거래가 끊어지자 가축우리에 문짝을 달고 바닥을 깔아서 피난민을 수용했다. 이도순은 마동수의 수용소로 거처를 옮겼다. 이도순은 거처를 옮겨 간 경위를 잘 기억하지 못했다. 마장세와 마차세는 거기서 태어났다. 이 년 터울이 났다. 가축우리에서 어떻게 두 아이가 생겨날 수 있는 것인지, 이도순은 잘 기억할 수 없었다. 땅 밑에서 풀이 돋고, 나무에 잎이 달리듯이 아이가 생긴 것이라고, 죽기 며칠 전에 이도순은 생각했다. 장남 마장세가 태어난 지 28년 후에 마동수가 죽던 날, 차남 마차세가 여자 친구와 술 마시다가 "우리 엄마하고 아버지가 섹스해서 날 낳았다는 걸 나는 믿을 수가 없어"라고 말했는데, 마차세가 자신이 점지될 때의 사정을 정확히 알고 한 말은 아닐 테지만, 부모의 신산스런 삶과 그 사이에서 태어나는 일의 어이없음을 말한 것을 봐서 마차세의 의구심이 전혀 근거 없지는 않다.

둘째 아들 마차세를 임신한 지 3개월이 지났을 때 이도순은 낙태하러 산부인과에 갔었다. 전투는 끝났지만, 전쟁의 찌꺼기는 널려 있었다. 마동수는 약초를 찾는다며 낙동강 풀섶을 뒤지면서 집에 돌아오지 않는 날이 많았다. 가끔씩 약초를 팔았다면서 쌀 두어 말 값 정도의 돈을 가져다 주었다.

이도순은 빈 축사 한 칸을 얻어서 닭 오십 마리를 길렀다. 이도순은 두 바퀴 달린 손수레를 끌고 부두의 생선 장터를 돌면서 생선 내장과 야채 쓰레기를 실어 와 배합사료에 버무려서 닭을 먹였다. 닭들은 깃털에 윤기가 흘렀다. 초겨울에 똥구멍이 빠지는 병이 돌아서 닭들은 아래로 피를 지리며 비실거렸다. 급성 전염병이었다. 이도순은 폐사 직전의 닭을 닭구이집에 팔았다.

닭을 처분하던 날 이도순은 배 속의 아이를 지우기로 결심했다. 네 달로 접어들고 있었는데, 태아가 몸집이 커서 긁어내기는 어렵고 집게로 집어내야 한다는 시장 여자들의 말에 이도순은 겁에 질렸다.

산부인과는 개천을 복개한 상판 위에 기둥을 박아서 지은 건물의 2층이었다. 상판 밑을 흐르는 개천의 악취가 건물에 스며 있었다.

의사는 외출 중이었고 어린 간호원이 지키고 있었다.

─점심 드시러 나가셨는데 늦으시네요. 낮술을 하시는지……

먼저 온 여자 두 명이 대기실에서 잡지를 들추고 있었다. 이도순은 세 번째 자리에서 의사를 기다렸다. 눈 화장이 짙은 여자들이 껌을 씹어서 딱딱 소리를 냈다. 열려진 문틈으로 수술실 안이 보였다. 흰 침대 한 개와 조명등 한 개뿐이었다. 여자의 다리를 벌려서 묶는 끈이 침대 옆에 늘어져 있었다. 쓰레기통에는 피 묻은 거즈와 내용을 알 수 없는 뭉클한 것들이 신문지에 싸여서 버려져 있었다. 오후 4시가 넘었는데 의사는 오지 않았다. 문 닫을 시간이 가까워왔는지, 간호원이 불기 없는 조개탄 난로를 쑤석거렸다. 먼저 왔던 여자들은 의사 만나기를 포기하고 돌아갔다. 이도순은 대기실에 혼자 남았다. 흐린 날의 초저녁이 일찍 어두워지고 있었다. 간호원이 조개탄의 재를 긁어냈다.

—더 기다리시겠어요?

간호원의 말은 그만 가보라는 어조였다. 이도순은 입덧의 구역질을 삼켰다.

산부인과 유리창 밖으로 산동네 비탈길이 가까이 보였다. 저녁 찬거리를 사 든 여자들이 집으로 돌아가고 있었다. 철사로 엮은 시장 가방 속에 고등어, 두부, 무, 배추가 담겨 있었고, 대파가 가방 위로 구부러져 있었다. 어두워지는 거리에 찬바람이 불어서 여자들은 손으로 입을 막고 종종걸음 쳤다. 장을 봐서 집으로 돌아가는 여자들이 산동네로 올라가는 비탈길 저쪽으로 사라질 때까지 이도순은 유리창 너머로 여자들을 바라보았다. 대기실은 춥고 어두웠다. 간호원이 말했다.

—죄송합니다. 중절하실 거지요. 담에 오실 날짜를 잡아드릴까요?

—아뇨, 괜찮아요.

이도순은 의사 기다리기를 포기하고 병원 밖으로 나왔다. 장을 보러 가야 하나……. 집에는 반찬거리가 없었다. 밀전병이 먹고 싶어서, 이도순은 시장에 들러서 밀가루와 식용유를 사가지고 집으로 돌아왔다.

—야 이 자식아, 니가 어떻게 해서 이 세상에 내질러졌는지 알겠지. 그때 거기가 너무 춥고 무서웠어. 시장 봐서 집에 가는 여편네들을 보니깐, 왠지 널 살리고 싶어서 그냥 병원을 나와버렸어. 갑자기 시장에 가고 싶더라고. 그래서 낳은 게 너야. 여편네들 시장바구니에 담긴 대파를 보니까 널 낳고 싶더라고. 나도 반찬거리 사러 시장에 가고 싶었어. 그때

넌 핏덩이였어. 그 피가 내 피냐 니 피냐. 그 핏덩이가 너다. 그 핏덩이가 나야. 그게 너고, 그게 나다. 그게 내 피 아니냐.

이도순은 남편 마동수가 죽은 후에 8년을 더 살았다. 이도순은 생애의 고비마다 그 산부인과에 낙태하러 갔던 일을 넋두리했다. 큰아들 마장세가 고등학교에서 패싸움을 하고 정학을 맞았을 때, 교통사고를 당했을 때, 군에 입대해서 베트남전쟁에 끌려갔다는 소식이 왔을 때, 남편이 오랫동안 집에 오지 않을 때, 이도순은 아들을 붙잡고 그 산부인과의 겨울날을 넋두리했다.

마차세가 육군에 입대하는 날에도 이도순은 용산역 입영 열차 플랫폼에 나와서 아들을 붙잡고 울먹이면서 20여 년 전의 일을 말했다.

—넌 태 자리가 험해서 고생이 비켜 갈 거다.

그때 마차세는 쓰레기 적환장을 거쳐서 먼 바다를 떠도는 핏덩이 한 줌을 생각했다. 고등학교 시절에, 장남 마장세는 어머니의 넋두리가 시작되면, 그만하라, 라고 소리 지르면서 자리를 피했다. 마장세는 자신의 출생 설화도 동생의 것과 크게 다르지 않으리라고 생각했지만, 묻지는 않았다. 마장세는 교과서를 학교에 두고 책가방 없이 늘 밖으로 나돌았다.

　서울로 이주한 후에도 마동수는 한 달에 한 번꼴로 집에 다녀갔다. 전셋값이 올라서 이도순은 자주 이사를 했다. 손수레에 이부자리와 장독을 싣고, 마장세가 끌고 마차세가 밀었다. 마동수는 동네 복덕방이나 우편배달부, 야경 대원을 수소문해서 이사 간 집을 찾아왔다. 마동수는 소고기 두어 근이나 고등어 네댓 마리를 들고 왔다. 쌀 반 가마니를 지게꾼에 지어서 온 적도 있었다. 남편이 집에 오면 이도순은 밥상을 차려주고 나서 건넌방으로 들어가서 나오지 않았다. 마동수는 약초를 찾으러 다닌다고 했는데, 이도순은 남편의 행방을 묻지 않았다. 마동수는 기침을 쿨럭이며 왔다가 하룻밤을 자고 나서 기침을 쿨럭이며 갔다. 기침 소리는 묵어서 몸에 붙어 있었다. 마차세는 그 기침 소리를 아버지가 오고 가는 소리로 알았다. 마차세가 중학교 3학년이던 해 12월 25일에 마동수는 새벽 4시에 집에 왔다. 이날은 야간 통행금지가 해제되는 날이었다. 새벽에 대문 흔드는 소리에, 마차세는 잠이 깼다. 옆에서 자던 어머니가 돌아누웠다. 마차세는 마당으로 내려갔다. 이도순은 또 돌아누웠다. 대문

밖에서 기침 소리가 쿨룩거렸다. 어둠 속에서 아버지가 추위에 웅크리고 있었다. 머리카락이 헝클어졌고, 술 냄새가 났다. 마동수는 식은 녹두지짐 몇 장과 땔나무 한 묶음을 들고 있었다. 마동수는 녹두지짐을 내밀면서 말했다.

—식었다. 뎁혀 먹어라.

라면서, 마동수는 건넌방으로 들어갔다. 건넌방은 불김이 없었다. 마차세는 아버지가 들고 온 땔나무로 건넌방 아궁이에 불을 지폈다. 젖은 아궁이가 연기를 토해내서 마차세는 눈물을 찔끔거렸다.

아버지는 왜 집에 오지 않는 것일까? 아니다. 아버지는 왜 집에 오는 것일까? 그 두 가지 의문이 동시에 떠올랐다. 마차세는 그 어느 쪽도 알 수 없었는데, 그 두 개의 의문은 한 개의 의문인 듯싶었다. 마차세는 아버지가 헤집고 다니는 세상의 가장자리가 떠오르지 않았다. 아버지는 그 가장자리를 넘어서 저쪽으로 아주 건너갈 것인지를 망설이다가 집으로 돌아오는 것이라고 마차세는 짐작했다.

마지막 장작을 아궁이에 밀어 넣고 마차세는 건넌방으로 들어갔다. 아버지는 모로 누워서 잠들어 있었다. 마차세는 요 밑으로 손을 넣었다. 방바닥에서 희미한 온기가 느껴졌다. 아버지는 숨을 몰아쉬었다. 숨을 쉴 때마다 주름진 턱 밑이 벌컥거렸다. 마차세는 그 턱 밑 살이, 뭍으로 끌어올려진 물고기의 아가미처럼 느껴졌다. 다음 날 저녁에, 어디서 구했는지, 아버지는 돈이 든 봉투를 마루 위에 내놓고 집을 나갔다. 아버지는 초저녁의 어스름 속으로 걸어갔다.

보름 후에 아버지는 다시 집에 왔다. 아버지는 작은 항아리를 들고 있었다.

—민물게장이다. 남쪽에서 가져왔다. 귀한 거다. 밥에 비벼 먹어라.

그날 아버지는 마차세를 데리고 이발소에 갔다. 동네 국민학교의 구내 이발소였다. 마차세는 아버지와 나란히 이발 의자에 앉았다. 거울에 비친 두 얼굴이 똑같아서 마차세는 흠칫 놀랐다. 어디라고 딱히 말할 수 없는 그늘까지도 두 얼굴은 닮아 있었다. 마차세는 헤어날 수 없는 사슬에 옥죄이는 느낌이었다. 방과 후의 학교 운동장은 비어 있었고 운동장 너머로 해가 지고 있었다. 노을이 내리는 빈 운동장이 이발소 거울에 비쳤고, 그 위에 닮은 얼굴 두 개가 떠 있었다. 거울 위쪽 벽에,

삶이 그대를 속일지라도
슬퍼하거나 노하지 말라
　　　　— 푸시킨

이라는 글귀가 붙어 있었고, 그 옆에 추수가 끝난 들판에
서 허리를 굽혀서 이삭을 줍는 서양 여자의 그림이 걸려 있
었다. 이발사가 가죽띠에 면도칼을 문지르고 아버지의 의자
를 뒤로 젖혔다. 아버지의 턱 밑이 거울에 비쳤다. 후골(喉
骨)은 잔주름에 덮여 늘어졌고 수염은 끄트머리가 바스라
져 있었다. 숨을 쉴 때마다 턱 밑이 벌컥거렸다. 그때도 아버
지의 턱 밑은 뭍으로 올려져서 벌컥거리는 물고기의 아가미
처럼 보였다. 아버지는 눈을 감고 있었다. 아버지는 무슨 생
각을 하고 있는 것일까. 아버지의 숨이 가르릉거렸다. 뒤로
젖혀진 아버지의 머리 너머로, 빈 운동장에 어둠이 내렸고
저무는 마을에 불이 켜졌다. 마차세는 아버지가 어둠 속으
로 증발해 버릴 것 같은 조바심을 느꼈다. 그 조바심에는 사
슬을 끊으려는 충동이 섞여 있었다는 것을 그때 마차세는
알지 못했다.

생물 시간에 교사는 말했다. 모든 조류, 양서류, 포유류의 먼 조상은 물고기다. 3억 6천만 년 전에 웬 물고기의 종족들이 물에서 뭍으로 옮겨 살기 시작했다. 그 후 수천만 년의 세월이 지난 후에 물고기의 지느러미가 날개로 변해 새는 날아갔고 다리로 변해 길짐승은 달려갔다. 맨 처음 뭍으로 올라온 물고기는 지상의 공기를 받아들이느라고 아가미가 쓰라렸다. 물고기는 쉴 새 없이 아가미를 벌컥거리다가 죽고 또 죽었다. 아가미는 지상의 공기에 쓸리면서 피를 흘렸고, 그 아가미가 날짐승과 길짐승의 허파가 되었다.

교사는 3억 6천만 년 전 물고기의 화석을 칠판에 그렸다. 그림 속에서, 물고기의 아가미는 턱 밑으로 튀어나와 늘어져 있었다. 교사는 물고기 그림에 눈알을 그려 넣었다. 물고기가 3억 6천만 년 건너의 세상을 빤히 쳐다보았다. 2학년 2학기 때였다. 그런데 그 물고기는 왜 뭍으로 올라온 것일까.

동부전선 GOP에서, 니 애비가 죽고 나니, 있던 인간인지 없던 인간인지 헷갈려서 멍하구나, 라는 어머니의 편지를 받았을 때도 마차세는 그 아득히 먼 물고기와 이발소 거울에 비치던 아버지의 턱 밑 후골을 떠올리고 있었다. 날이 저물면 고지의 새들은 붉은 하늘을 건너서 능선이 겹친 저편 숲으로 날아갔다. 그 새들의 허파에서도 아득히 먼 물고기의 아가미가 벌컥거리고 있다는 것이 생물 교사의 말이었다.

마동수가 죽기 한 달 전에 이도순은 동네 성당의 젊은 신부를 마동수에게 보냈다. 이도순은 고관절에 금이 가기 전에 성당 식당에서 허드렛일을 하고 신부의 미사복을 세탁해 주고 있었다. 이도순은 마동수의 마지막 시간에 영적(靈的) 인연이 있으리라고는 믿지 않았지만 신부를 모심으로써 마동수와 관련된 생애에 마침표를 찍으려 했다. 그것이 이도순의 작별 의식이었다.

신부가 방 안으로 들어와서 병석 옆에 앉았다. 마동수는 배에 호스를 꽂고 누워 있었다. 신부는 이도순의 부탁으로 왔다고 말했다. 마동수는 실눈을 떠서 신부를 힐긋 보고 눈을 감았다.

신부는 죄의 사함을 믿고 영생(永生)으로 다시 태어나는 종부(終傅)의 의미를 간단히 설명했다. 신부가 물었다.

—마동수 님은 영생을 원하십니까.

마동수가 고개를 저었다. 얼굴에 아무런 표정이 없었다.
신부가 또 물었다.

─마동수 님은 죄의 사함과 부활을 믿으십니까.

마동수는 다시 고개를 저었다. 얼굴에 아무런 초점이 없
었다. 신부가 다시 물었다.

─마동수 님은 새로운 이름으로 다시 태어나시기를 원하
십니까.

마동수가 다시 고개를 저었다. 마동수가 눈을 떠서 신부
를 바라보았다. 텅 빈 눈이었다. 신부가 고개를 숙였다. 신부
는 새로운 이름으로 마동수를 씻길 수 없었다. 다음 날 신
부는 결과를 묻는 이도순에게 말했다.

─어쩔 수가 없었습니다.

마차세는 아버지가 종부를 거절한 얘기를 매장이 끝난
후 어머니에게 들었다.

다시 GOP 매복 진지로 돌아가서, 마차세는 어쨌거나 아
버지가 신부를 물리치고 혼자서 죽기를 원했다면 아버지의
소망은 이루어진 것이라고 생각했다. 그날도 매복 진지에서
마차세는 아버지 목 밑의 아가미를 떠올렸다.*

미크로네시아

퍼시픽 파라다이스 사장 마장세는 미크로네시아의 섬에 출장 왔다가 서울에서 아버지가 죽었다는 소식을 들었다. 퍼시픽 파라다이스의 본사는 괌에 있었다. 마장세가 자금 출납을 보고받으려고 미크로네시아에서 괌의 본사에 전화를 했을 때 여직원이 아버지의 죽음을 전했다.

—어제 저녁 6시에 서울에서 동생분이 전화를 하셨습니다. 부친께서 별세하셨답니다.

마장세는 미크로네시아 남쪽 추크(Chuuk)의 섬들을 둘러싼 환초(環礁) 너머 폰페이 섬(Pohnpei island)에 들어와 있었다. 폰페이 섬에서 서울을 가려면 하루에 한 번 오는 화

물선을 타고 추크로 가서 거기서 하루를 기다려서 괌으로
가는 비행기를 타고 괌에서 다시 하루를 기다렸다가 김포
로 가는 비행기를 타야 하는데, 배편과 항공편이 운행 스케
줄대로 연결되지 않는 수도 있었다.

—발인이 언제라던?

—그런 말씀 없이 전화를 끊었습니다.

멀어서 갈 수 없겠구나, 멀어서 가지 않아도 되겠구
나……. 서울과 남태평양 사이의 먼 거리는 아버지 초상에
가지 않아도 좋을 핑계였지만 직항편이 있더라도 마장세
는 다른 이유를 대고 가지 않았을 것이었다. 마장세는 그것
을 스스로 알았다. 마장세는 육군 전투부대 사병으로 베트
남전쟁에 파병되었다가 거기서 제대했다. 마장세는 한국으
로 오지 않고 베트남에서 알게 된 미군의 중령급 군속 문관
을 따라서 괌으로 갔다. 퍼시픽 파라다이스는 그 군속 문관
의 자본으로 괌에 설립한 회사였다. 관광업으로 등록되어
있었지만, 소규모의 인력 송출, 고철 무역을 겸했고, 수산물
가공에 투자하고 있었다. 마장세는 그 회사의 총괄 매니저
였는데, 직원들은 사장님이라고 불렀다.

마장세가 괌으로 간 지 6년 후에 아버지 마동수가 죽었다.

그 6년 동안 마장세는 업무차 가끔씩 서울에 갔었다. 서울에서 마장세의 업무는 통관, 인허가 관련 공무원이나 거래 업체 간부들을 불러내어 룸살롱에서 술을 먹이고, 여자를 붙여서 호텔 객실에 넣어주는 일이었다. 서울에서 시간이 나면 베트남에서 함께 제대한 군 동기생들을 만나서 술을 마셨고, 국립묘지의 베트남전쟁 전사자 묘역에 함께 간 적도 있었다.

마장세는 서울에 왔을 때 호텔에서 묵었고 한 번도 집에 들르지 않았다. 아버지가 암에 걸렸다는 소식은 괌으로 걸려온 어머니의 전화를 받고 알았다.

아버지가 죽었다는 연락을 받았을 때 마장세는 긴 한숨을 내쉬었다. 남태평양에 해가 저물고 바다에 노을이 깔렸다. 물과 하늘이 어둠에 섞여서 수평선이 흐려졌고, 흐린 수평선 너머로 아버지의 상여가 흘러가는 환영이 보였다.

─형, 한국에 안 올 거야? 아버지가 암 걸렸어. 한번 와봐야 할 거 아냐.

라고 마차세가 국제전화로 다그쳤을 때 마장세는

─야, 난 한국이 무서워. 한국에 가면 아버지처럼 될 거 같아. 그래서 못 가는 거야. 이해해 줘. 니가 힘들겠구나.

라고 대답했다. 3년 전 일이었다. 그때 마장세는 출장에서 돌아와 술을 마시고 있었다. 술김에 심한 말이 나갔구나 싶었는데, 거짓말은 아닌 것 같았다.

아버지는 삶에 부딪혀서 비틀거리는 것인지 삶을 피하려고 저러는 것인지 마장세는 알 수 없었지만, 부딪히거나 피하거나 다 마찬가지인 것 같았다. 아버지는 늘 피를 흘리는 듯했지만, 그 피 흘림에도 불구하고 아버지는 삶의 안쪽으로 진입하지 못하고 생활의 외곽을 겉돌고 있었다. 아버지의 죽음은 노새나 말, 낙타처럼 먼 길을 가는 짐승 한 마리가 세상의 가장자리에서 얼씬거리다가 그 너머로 사라져서 보이지 않게 된 것처럼 느껴졌다. 아버지가 이 세상이 다시는 지분덕거릴 수 없는 자리로 건너갔다는 것은 어쨌든 아버지를 위해서 마지막으로 다행스런 일이었지만, 막상 죽음의 소식을 받고 보니 아버지가 건너간 자리는 아주 가까워서 아버지는 가지 않고 다시 이쪽으로 건너올 수도 있을 것 같았다. 아버지가 땅 위에 발을 붙이지 못하고 겉돌고 헤매이게 되는 생애의 고통은 아버지의 죽음과 함께 소멸할 것이고 그 고통이 아무리 크고 깊다 한들 이 세상에 흔적을 남기지 못할 것이므로 아버지의 죽음은 살아 있는 사람이 휴— 하고 긴 한숨을 한 번 내쉼으로써 정리할 수 있을 만큼 가벼운 것이기도 했지만, 그 한숨 한 번 내쉬기까지가 어째서 그토록 힘든 일이었을까를 마장세는 생각했는데 생각이 되어지지가 않았다.

마장세는 폰페이 읍내 우체국에 가서 국제전화로 서울을 신청했다. 30분 만에 전화가 연결되었다. 태평양 건너편에서 동생의 목소리가 징징거렸다.

—형, 못 와?

—미안하다. 내가 너무 멀리 있어서……. 임종은 니가 잘 모셨니?

—아니, 난 나가 있었어. 나가서 여자 만나고 와 보니까 돌아가셨더라구.

—그래도 니가 효자다. 니가 장남 해라. 니가 힘들겠구나. 니가 힘들겠어.

마장세는 서둘러 전화를 끊었다. 마장세는 다시 괌 본사의 경리 직원을 불러서 서울의 마차세에게 5백 달러를 송금하라고 지시했다. 마장세는 또 서울의 거래처와 룸살롱 주인, 유관 공무원들에게 부고해서 장남이 초상에 가지 못하는 사유를 설명하고 부의금이 마차세에게 전달되도록 하라고 지시했다.

마장세는 폰페이 섬에서 남은 출장 일정을 계속했다.

해가 떠오르면 남태평양의 빛은 일사각(日射角)에 따라
연안에서 원양으로 전개되었다. 연두는 아침에 맹그로브 숲
에서 깨어나 해가 숲 위로 오르면 군청색으로 바뀌어 원양
으로 나아갔다. 빛이 닿는 자리마다 색이 열려서 꽃들은 원
색으로 피어났고, 군청색이 다하는 수평선 너머에서 빛은
하얗게 들끓었다. 바람이 먼 대륙으로 건너간 날에 열대의
바다는 고요해서 새들의 울음소리가 먼 섬에 닿았고 등대
의 풍향계는 수평선 쪽으로 고정되었다.

해가 수직으로 서는 한낮에 빛은 물, 뭍, 산호, 수풀에 닿
았고 빛이 흔들리는 자리마다 색들은 부서졌다. 물고기들이
산호 언덕을 돌아 나올 때 지느러미에서 빛의 무늬가 어른
거렸고 물고기 몸통에서 색들이 태어나서 퍼덕거렸다. 물고
기 아가미가 벌렁거릴 때 분홍색 빗살에 햇빛이 닿았다. 달
빛이 물에 풀어지는 밤에 산홋가지 사이에 머무는 물고기
들은 뽀얗게 부풀어 보였는데, 그것들의 잠은 가벼워서 작
은 물결에도 놀라서 흩어졌다.

섬의 전설에, 원주민들의 아득한 선조들은 지구를 한 바퀴 돌아 오는 철새들에게 항해술을 배웠다고 한다. 가을이 깊어지면 선조들은 바닷가에 모닥불을 피우고 고래를 잡아서 간을 꺼내 치성을 드리며 철새가 돌아오기를 빌었다. 섬의 통나무배들은 선수를 모두 새 대가리 모양으로 깎았고, 돛폭에 빗금 진 골을 짜 넣어 새 날개를 흉내 냈다.

사내들의 시각, 후각, 청각은 모두 철새의 눈, 코, 귀를 닮아야 하고 사내들의 가슴은 새들의 앞가슴 용골돌기를 닮아야 한다고 선조들은 가르침을 남겼다. 선조들의 항해는 새들의 비행과 다르지 않았다.

전사(戰士)들은 쪽배를 타고 닷새를 서쪽으로 항해해서 먼 섬의 여자와 식량을 빼앗아 왔는데 그 항해술은 모두 철새에게서 배웠다. 바다를 건너갈 때 전사들은 별과 별 사이를 비행하는 자유와 신생하는 세계의 설렘을 노래했다. 그 노래는 섬의 창조자인 철새의 전설과 함께 구전되어 왔다. 전사들은 망망대해에서 뱃길을 잡아 나갈 때, 새들이 새카맣게 모여서 맴돌며 우짖는 자리나 야자나무 세 그루가 서 있는 암초, 해 뜨는 쪽에만 새똥이 쌓여 있는 바위를 항해의 지표로 삼아서 열흘 너머의 물길을 다녀왔는데, 이

전설 속의 항로표지는 실재하는 것으로 해양사학자들이 밝혀냈다.

이제, 섬의 사내들은 먼바다로 나아가지 않고 선조들의 항해는 돌이킬 수 없는 날들의 전설이었다. 사내들은 물가에 앉아서 원양을 건너오는 철새를 바라보고 있었다. 원양에는 수만 톤급 무역선과 원양어선이 지나가고 있었다.

마장세는 도요타 지프로 섬의 해안을 답사했다. 현지인 직원 시누크가 지프를 운전했다. 시누크는 서른다섯 살이었는데 노인처럼 보였다. 시누크의 어머니는 치누족 여자였다. 치누족은 2차 대전 말기에 이 섬을 점령했던 일본군의 해안포 진지 공사에 동원되었다. 시누크의 어머니는 일본 육군 하사관의 씨를 받아서 시누크를 낳았다. 이틀 사이에 두 남자가 밀고 들어와서, 시누크의 어머니는 정자의 주인이 와타나베인지 다니자키인지 분간하지 못했지만, 둘 중에 하나였다. 미군이 섬을 탈환할 때 일본군은 '반자이'를 부르며 돌격하다가 전멸했고, 와타나베도 다니자키도 그때 죽었다. 시누크는 마장세를 상전으로 모셨다. 시누크는 복종의 태도가 몸에 박여 있었지만, 비굴해 보이지는 않았다.

마장세의 출장 목적은 섬의 곳곳에 버려진 자동차 고철의 물량을 파악하고, 운반 작업비의 견적 초안을 작성하는 일이었다.

퍼시픽 파라다이스는 창업 초기에 관광업으로 등록해 놓고 별 세 개짜리 호텔을 전세 내서 매춘을 알선했다. 마장세는 남태평양의 여러 섬에서 모아 온 원주민 여자들과 취업 비자로 데려온 한국인 여자들을 호텔에 감춰놓고 관광 온 사내들에게 붙여주었다. 여자들의 종족이 다양해서 고객은 늘 밀려 있었다. 문명국가에서 온 사내들은 원주민 여자들의 조일 힘을 높이 평가했다. 베트남 전장에서 만난 군대 동기생 몇 명이 괌에 놀러 왔을 때 마장세는 술을 먹여주고 여자를 붙여주었다. 동기생들이 서울로 돌아가서 마장세의 사업을 냄비 장사라고 소문냈다. 소문은 거꾸로 돌아서 괌에까지 흘러왔고, 단속이 잦아졌다. 퍼시픽 파라다이스는 관광업을 명의 변경해서 계열 분리했고, 중고 자동차 무역을 시작했다.

미국의 원조 자금이 풀리자 섬은 개벽 이래의 구매력에 흥청거렸다. 구매력은 욕망과 실물 사이를 이어주었다. 자본은 원조의 탈을 쓰고 섬으로 들어와서 공항과 항만, 일주

도로를 건설했고 휴양 시설을 지었다. 마장세는 한국과 일본에서 쓰다 버린 중고 자동차를 헐값에 매집해서 남태평양의 여러 섬에 팔았다. 원주민들은 자동차를 소유함으로써 선진 문명의 대열에 합류하려 했고 섬의 지방정부들은 경기를 부양시키기 위해 운전면허를 남발했다. 중고 자동차는 불티나게 팔렸다.

섬의 도로는 대부분이 비포장이었고 홍수 때는 웅덩이가 패었다. 섬에는 정비 업소가 없었고 부속품과 연료는 구하기 어려웠다. 중고 자동차는 팔린 지 몇 달 안에 고장이 났고 고장 난 자동차는 수리할 수가 없었다. 자동차는 아무 곳에나 버려져서 벌겋게 녹슬어 있었다.

섬에 항공 노선이 열리자 관광객이 몰렸다. 지방정부는 이 추악한 고철을 제거하기 위해 다시 마장세와 교섭했다. 이 고철을 톤당 3백 달러에 실어내기로 지방정부와 마장세 사이에 가계약 수준의 교섭이 진행 중이었다. 마장세는 이 고철을 다시 한국에 가져와서 팔거나, 아니면 남쪽 바다로 내려가서 무인도 뒤쪽에 버릴 작정이었다.

지프는 섬의 남쪽, 맹그로브 해안을 따라서 달렸다. 일주

도로는 해안으로 바싹 접근했고, 왼쪽으로 일본군 동굴 포대의 어두운 입구가 보였다. 도로는 섬의 남단을 돌아서 고지로 연결되었다. 해안 고지에는 220밀리 야포들이 연안항로를 조준한 채 녹슬어 있었고, 반쯤 무너진 일본군 막사 안에서 원주민들이 살림을 차렸다. 옥쇄 진지 위에 빨래를 널었고 벙커 안에서 반라의 여자가 갓난아이에게 젖을 먹이고 있었다. 주민들은 녹슨 무기와 진지 사이에 서식했다. 맨발의 아이들이 그늘에 앉아 야생화로 손톱을 물들였고 나뭇가지로 불을 지펴서 조개를 구워 먹었다. 아이들은 발가락이 길었고 발등이 얇았다. 자동차 고철은 마을과 해안 곳곳에 처박혀 있었다.

마장세는 가끔씩 지프에서 내려 고철이 방치된 상태를 살폈다. 물에 빠졌거나 뻘에 묻혀 있으면 중장비를 써야 할 터인데, 작업 단가를 다시 협상해야 할 것이었다. 시누크가 고철의 상태를 사진 찍었다. 고철의 물량보다도 처박혀 있는 상태가 더 큰 문제라는 것을 마장세는 섬에 출장 와서 확실히 알게 되었다. 톤당 계약에서 건당 계약으로 바꾸지 않으면 이윤이 없을 듯했다. 끌어내기 쉬운 자리의 고철은 종량

제로, 난이도가 높은 물건은 건당으로 계약하고, 사업 기간을 길게 잡아서 현금이 장기간에 걸쳐서 안정적으로 회전되도록 해야 할 것이었다. 그러자면 시누크에게 맡길 일이 아니고 현장의 난이도와 장비에 대한 감각이 살아 있는 과장급 한 명을 다시 보내서 정밀 답사해야겠다고 마장세는 판단했다. 출장은 유익했다.

마장세는 저녁 7시에 호텔로 돌아왔다. 호텔은 해안 절벽 위에 들어서 있었다. 절벽 위에는 다른 건물이 없어서 호텔은 밀교 사원처럼 보였다. 새들이 호텔 지붕 위에서 일몰의 바다를 바라보고 있었다. 전쟁 때 일본군 대공포 부대의 사수 진지가 있던 자리라고 호텔 안내 간판에 적혀 있었다. 미군의 지상 병력이 상륙해서 진지를 조여오자 일본군 수백 명이 만세를 부르며 절벽에서 뛰어내려 자살했고, 일본군 지휘관 오다 대위는 일장기를 흔들어서 부하들의 자살 대오를 끝까지 격려했고, 자신도 "나는 제군들의 선두에 있다. 야스쿠니에서 만나자"라고 소리치며 입안으로 권총을 쏘아서 자살했다고 호텔의 팸플릿은 이 유서 깊은 절벽의 사연을 설명했다. 이 고지를 폭격하다가 일본군의 대공포에 추락한 미군 그러먼 전투기의 프로펠러와 조종사 켈런 중위의 헬멧이 호텔 로비에 전시되어 있었다. 호텔의 이름은 클리프(Cliff)였다.

마장세는 야외 테이블에 시누크와 마주 앉아 맥주를 마셨다. 백인 남녀들이 옆자리를 차지하고 있었다. 스쿠버 다이버들이었다. 여자들은 비키니 차림으로 평상에 누워서 볕이 들기를 기다렸다. 바다 밑 산호초 숲 속에 일본 해군 군함 백여 척과 미군 폭격기 수십 대가 가라앉아 있고 그 잔해 속에 열대의 진기한 물고기가 모여 있어서 호텔 주변의 물 밑은 해저 관광의 명소로 꼽혔다. 물 밑에서 조종사들은 백골이 되어서 조종석에 앉아 있는데, 눈구멍으로 물고기가 드나든다고 스쿠버 다이버들이 전했다. 야자나무 한 그루가 박힌 바위가 가까운 바다에 떠 있었고 그 너머에서 수평선이 어둠에 풀어지고 있었다. 백인 남녀들이 끌어안고 입을 맞추더니 서둘러 객실로 올라갔다.

웨이터가 다금바리구이를 가져왔다. 다금바리 등에 보랏빛 윤기가 흘렀다. 마장세는 나이프로 아가미를 벌렸다. 분홍색 빗살이 드러났고, 빗살 사이의 깊이가 어두워 보였다. 고요한 아가미였다.

마장세는 더 이상 숨을 쉬지 않을 아버지의 호흡기를 생
각했다. 서울과의 시차는 1시간이었다. 별들이 돋아나서 와
글거렸다.

시누크는 말없이 생선을 먹었다. 시누크의 목은 길고 살
갗이 늘어져서 늙은 닭 모가지처럼 보였다. 음식을 삼킬 때
목울대가 흔들려서 힘겨워 보였다.

―별이 많구나, 시누크.

시누크가 영어로 대답했다.

―밤에는 바다의 물고기가 별이 되어서 하늘을 헤엄쳐
다닌다고 우리 할머니가 그랬다. 여기 하늘에는 별이 바다
의 물고기보다 많다.

시누크가 섬의 지도를 펼쳐서 마장세 앞으로 내밀었다.

―내일 일정을 말해 달라. 일기예보에 비가 온다더라.

삼일장이면 아버지는 내일 땅에 묻힐 것이었다.

―내일, 서울 날씨는 어떤가?

―그건 모른다.

마장세는 지도를 옆으로 치웠다.

―내일 비가 오면 하루 쉬자. 호텔 방에서 술 마시자. 그
런데 시누크, 어제 서울에서 나의 아버지가 죽었다.

시누크는 선교사들에게서 배운 대로 이마에서 가슴으로 십자가를 그렸다. 시누크가 말했다.

—서울에 안 가나?

—안 간다. 멀어서…….

—전에는 가끔 갔었지 않나.

—한국 초상은 사흘에 끝난다. 지금 가도 늦는다.

—늦게라도 가면 어떤가?

—글쎄다.

시누크가 어두운 바다로 시선을 돌린 채 말했다.

—너의 아버지는 혼자서 죽었나?

—그렇다. 내 동생이 외출했을 때 죽었다.

—나의 아버지는 집단 자살로 죽었다. 미군이 섬에 쳐들어왔을 때 다들 자살 공격을 하다가 죽었다. 그 일본군 중의 한 명이 나의 아버지란다. 누군지는 모른다. 그 사람이 아버지일까. 그때 바다가 시체로 썩어서 십 년 동안 물고기가 오지 않았다.

시누크가 다시 십자가를 그렸다. 풍매하는 씨앗 한 개가 바람에 불려 다니다가 남태평양의 작은 섬에 떨어져서 시누크가 태어난 것이려니 하고 마장세는 생각했다. 그런데 나는 왜 이 인연 없는 섬의 원주민 사내와 내 아버지의 죽음을 이야기하고 있는 것일까. 내 아버지와 시누크의 아버지는 바닷물이 건너편 연안에 닿듯이, 철새가 대륙을 건너다니듯이 보이지 않는 인연의 사슬로 엮어져 있는 것인가. 마장세는 거푸 맥주를 마셨다. 바다는 어두워졌고, 긴 해안 단애에 파도가 부딪혀서 인광이 절벽 위로 솟구쳤다가 흘러내렸다.

— 우리 엄마는 내 아버지가 누군지 모르는 걸 다행으로 여긴다.

마장세가 말했다.

— 아버지 얘기는 그만하자. 늦었다. 들어가서 자자.

— 죽은 사람은 제가 죽은 줄 모른다. 우리 엄마가 그랬다.

마장세는 자정이 지나서 잠들었다. 천장에 붙은 도마뱀이 바늘 끝 같은 눈으로 마장세를 내려다보았다.*

베트남

마장세는 피난지에서 아홉 살까지 자랐다. 사람들은 난을 피하려고 피난지로 몰려왔지만 세상의 모든 환란은 피난지로 몰려들었다. 마장세는 구두를 닦으러 이 세상에 태어난 아이처럼, 저절로 구두닦이가 되었다. 마장세는 구두닦이 통을 메고 도심지로는 들어갈 수 없었다. 도심지에는 폭력배들이 세력권을 장악하고 구두닦이들에게 영업 구역을 할당해 주고 돈을 뜯었다. 마장세는 변두리 바닷가 쪽에서 일했다. 외출 나온 미군들에게 다가가서 "슈샤인 슈샤인", 외치면 어쩌다가 일이 걸려들었다. 미군은 의자에 앉아서 군화 신은 발을 구두 통 위에 올려놓았다. 마장세는 칫솔로 군화 뒤축의 흙을 긁어내고 가죽에 구두약을 먹였다. 구두약을 손가락으로 스치듯이 찍어서 바르고 젖은 헝겊으로 문지르면 약을 조금만 쓰고도 광택을 뽑아낼 수 있었다. 마른 헝겊으로 문질러서 마무리하면 가죽은 번들거렸다. 마장세가 미군 가랑이에 매달려 있을 때 군화는 통나무 기둥처럼 크고 강력해 보였다. 알 수 없는 먼 나라의 힘이 가죽에서 번쩍거렸다. 구두닦이 요금은 주는 대로 받았다. 몇 센트도 있고 1달러도 있었는데, 요금을 주지 않고 구두 통을 걷어차고 가는 자들도 있었다. 구두 통이 부서지고 구두약과 칫솔, 헝겊이 길바닥에 흩어졌다. 마장세는 흩어진 것들을 줍고 깨진 구두 통에 나뭇조각을 덧대고 못을 박아 고정시켰다.

몇 번 발길질을 당하고 나서, 마장세는 구두를 다 닦고 나면 돈을 받으러 다가가기 전에 미군의 눈치를 살폈다. 돈을 주는지, 발길질을 하는지를 미리 살펴서 가까이 가거나 피했다. 돈을 주는 척해서 다가갔다가 발길질을 당한 적도 있었다.

미군을 상대하는 매춘 여성들을 피난지에서는 양갈보라고 불렀다. 그 여자들은 바다를 등진 언덕 밑 시멘트 벽돌

집에 모여 집창촌을 이루었다. 허벅지와 가슴골을 드러낸 여자들이 대낮에도 바닷가에 나와 미군들을 호객했고, 거래가 성립되면 팔짱을 끼고 방으로 갔다. 방이 작아서 덩치 큰 미군은 개집으로 들어가는 개처럼 보였다.

마장세가 미군의 구두를 닦을 때도 여자가 다가와서 미군을 꼬였다.

— 레츠 메이크 러브. 원 아워. 파이브 달러.

여자의 짙은 몸 냄새가 끼쳐왔다. 그 냄새는 이 세상의 것이 아니었다. 코흘리개 여자아이들이 자라서 어른이 되면 누구나 저렇게 아름다워지고 누구나 저런 냄새를 풍기는 것일까. 그런데 우리 엄마나 우리 동네 여자들은 왜 그렇게 괴죄죄한 것일까.

구두닦이 의자에 앉아 있던 미군이 양갈보를 향해서 가운뎃손가락으로 동그라미를 만들어 보였다. 미군은 소매에 갈매기 계급장을 붙였고 귀밑에 솜털이 뽀얬다. 미군은 동전 세 개를 구두 통 옆에 던져주고 여자와 팔짱을 끼고 집창촌 쪽으로 걸어갔다. 마장세는 구두 통을 메고, 자석에 끌리듯이 미군과 양갈보의 뒤를 따라갔다. 꽉 조이는 스커트에 여자의 엉덩이가 도드라졌고 걸음을 옮길 때마다 엉덩이가 흔들렸다. 하얀 다리가 미군의 바짓가랑이와 보폭을 맞추었다. 아, 여자의 엉덩이는 왜 저렇게 도드라지는 것일까. 저 안에는 무엇이 들어 있을까. 그 엉덩이는 꽃이 피듯이, 해가 뜨듯이 그렇게 명료하게 마장세의 눈앞에서 도드라져 있었다. 여자의 엉덩이가 한 개가 아니라 두 개라는 사실에 마장세는 놀랐다. 여자의 방은 골목의 맨 끝이었다. 마장세는 골목 안까지 따라 들어갔다. 골목에서 분뇨 냄새가 났고, 속옷만 걸친 여자들이 구정물을 길바닥으로 내버렸다. 미군은 뒤따라오는 구두닦이가 신경 쓰이는지, 허리를 굽혀서 방 안으로 들어가려다가 뒤로 돌아섰다.

—갓댐, 선 오브 비치.

미군이 돌멩이를 집어서 마장세 쪽으로 던졌다. 마장세는 구두 통으로 머리를 가리고 뒷걸음치다가 넘어졌다. 미군은 돌멩이 몇 개를 더 던지고 방으로 들어갔다. 마장세는 흩어진 작업 도구를 주워서 구두 통에 넣고 절뚝거리며 골목을 빠져나왔다.

마장세는 구두를 닦아주고 받은 돈으로 거리에서 풀빵이나 꽁치구이를 사 먹었다. 점심때까지 번 돈이 없어서 오후 네댓 시쯤에야 허기를 면하는 날이 많았다. 배가 고프면 창자에서 찬바람이 일었고 몸속이 비어 투명했다. 배가 고프면 눈을 가늘게 뜨게 되는데, 눈꺼풀이 떨려서 세상이 흔들렸고 가까운 것들이 멀어 보였다. 배가 고프면 후각이 민감해져서 거리의 사람 냄새나 물이 오르는 가로수의 풋내가 코끝에 어른거렸다. 배가 고프면 배고픔이 몸속에 가득 차면서도 몸이 비어 있는 느낌이었는데, 음식 냄새가 코를 스치면 배고픔은 창끝처럼 뾰족해져서 창자를 찔렀다. 배가 고프면 마음이 비어서 휑했고, 그 빈 마음속에 배고픔이 스며 있었다. 배고픈 저녁에 마장세는 저녁노을을 보면서 배고픔은 노을 같은 것이라고 생각했다. 배가 고프면 기억으로만 남아 있는 맛의 헛것이 빈 마음에 번져 있었다. 풀빵은 너무 멀게서 깨물면 속이 흘러내렸다. 마장세는 풀빵을 먹을 때 입을 위로 치켜들고 흘러나오는 내용물을 빨아 먹었다. 풀빵은 멀겠지만 온기가 배 속으로 퍼졌다. 온도도 먹이가 될 수 있다는 걸 마장세는 풀빵을 먹으면서 알았다. 온도는 배가 부르지는 않았고 온도가 배 속으로 퍼지면 메마른 창자가 꿈틀거리면서 창자는 더욱 맹렬히 건더기를 요구했다.

꽁치를 구워주는 노점상들은 쓰레기장에서 주워 온 파목

을 연료로 썼다. 파목에 붙어 있는 페인트나 콜타르가 타면서 연기가 스며들어서 꽁치 맛은 매캐했으나 자글거리는 기름과 부드러운 살이 목구멍을 넘어갈 때 영양이 풍부한 느낌이 들었고 더운 살점에 뿌려진 소금은 향기로웠다.

초콜릿을 처음 먹었을 때 마장세는 정신이 아득했다. 미군 병장은 구두 닦은 값으로 동전 세 개를 주고 의자에서 일어났다. 병장은 주머니를 뒤져서 먹다 남은 초콜릿 반 토막을 땅바닥에 던졌다. 마장세는 초콜릿을 집어서 포장지를 벗겼다. 앞니로 잘라 먹은 자국이 나 있었다. 마장세는 초콜릿을 입안에 넣고 혓바닥으로 빨다가 보채는 이빨의 충동을 이기지 못해 씹어서 삼켰다. 아, 이런 세상이 있었구나……. 그날, 새롭고 놀라운 맛의 세계가 마장세의 몸속에서 문득 열렸다. 햇빛이 강렬한 날이었다. 바다와 하늘에 빛이 가득했고, 미군 병장의 구두에서도 빛은 번쩍였는데 그렇게 힘센 맛이 마장세의 몸 안에 가득 찼다. 미군 군화의 번쩍임과 초콜릿 맛의 강렬함은 마장세의 마음속에서 연결되어 있었다. 맛이 목구멍의 끝 쪽으로 사라지면 맛의 기억은 더 강렬해졌다. 지나간 맛은 모두 헛것이었지만 헛것은 입안에 든 먹이보다 더 선명하고 구체적이어서, 지나간 맛

과 아직 오지 않은 맛이 빈창자 속에서 뒤섞였다. 배가 고
플 때는 햇빛이 더 강렬해 보였고 햇빛을 받는 해운대 모래
에서 고소한 냄새가 났고, 먼바다 쪽에서 초콜릿 냄새가 밀
려왔다.

초콜릿 맛의 기억은, 그 후에, 마장세가 베트남전쟁에 파
병되어서 밀림에서 먹던 레이션의 맛 속에 희미한 흔적을
남기고 있었다. 레이션 통 속의 소시지와 햄의 맛이 구리게
느껴지면 고참이 된 셈인데, 그 봉지 안에 초콜릿이 들어 있
었다. 상표도 피난지에서 먹던 초콜릿과 똑같았다. 마장세
는 초콜릿을 모았다가 차량으로 이동하는 부대가 평정 지
구 마을을 지날 때 원주민 아이들에게 던져 주었다. 먼지 속
에서 아이들은 뒤엉키며 포개졌고 다시 일어나서 트럭을 따
라왔다. 마장세는 아이들의 몸속을 울리는 맛의 충격을 생
각했다.

마장세는 서해안 최북단 귀녀도(歸女島)의 해안 초소에
근무하다가 베트남 파병 부대에 차출되었다.

마장세는 베트남에서 제대했다. 마장세는 여러 번의 수
색 작전에서 생환했고, 제대하기 세 달 전에 5등 무공훈장

을 받았다. 훈격이 높지는 않았지만 사병으로서는 드문 일이었다.

월맹군들은 몸집이 작았고 몸보다 무거운 화기를 메고도 빠르게 움직였다. 파병 초기에 마장세는 월맹군에 대해서 적개심을 느낄 수 없었다. 수색조가 적의 박격포 탄에 맞아 사지가 흩어졌을 때도 마장세는 그 적개심의 근원이 무엇인지 알 수 없었지만 흩어진 사체들이 살아남은 자들의 적개심에 불을 질렀다. 애초에 적과 나 사이에 무슨 적대 관계가 있었기에 서로 죽여야 하는지를 적에게 물어볼 수는 없었고 적들도 답답하기는 마찬가지일 테지만 마주쳤을 때 죽지 않으려면 죽여야 하는 것은 적들도 마찬가지였다. 지나고 보니 이 답답함이 적개심의 근원이었다. 마장세는 제대 후에도 베트남전쟁에서 훈장 받은 일을 입에 담지 않았다.

헬리콥터 네 대가 연대 연병장에서 이륙했다. 미군 항공대가 헬리콥터와 조종사를 지원했다. 마장세 병장은 수색조장으로 3번기에 탑승했다. 대대는 닷새 후에 롱하이 지역 소탕 작전을 시작하려고 중대 한 개를 먼저 투입해서 수색

정찰하고 매복 진지를 확보하려는 것이었다.

헬리콥터는 저공으로 동북진했다. 우기의 산맥이 번들거렸고 시뻘건 강물이 남북으로 흘렀다. 발을 붙일 수 없는 산맥과 강이었다. 대원들은 말없이 아래를 내려다보았다. 헬리콥터의 그림자가 그 강물과 산맥 위로 흘러갔다. 그림자가 실물처럼 보였고, 전투원을 싣고 가는 헬리콥터가 그림자의 그림자처럼 보였다.

— 네미, 저길 뛰어내리라고…….

상병이 마장세 뒷자리에서 중얼거렸다. 상병의 중얼거림은 엔진 소음에 묻혀서 아무에게도 들리지 않았다. 포개진 연봉이 출렁거려서 조종사는 항공 좌표만으로는 강하 지점을 가늠할 수 없었고 육안으로 식별할 수도 없었다. 헬리콥터 편대는 중대장이 탄 1번기를 따라갔다. 1번기가 갈대밭 위에서 고도를 낮추었다. 중대장이 인솔한 10명이 헬기에서 뛰어내렸다. 거기는 갈대밭이 아니라 허리까지 빠지는 늪이었다. 늪은 갈대로 덮여 있었다. 대원들은 두 손으로 소총을 받쳐 올리고 허우적거렸다. 늪 가장자리에서 적들이 사격했다. 적들의 조준은 정확했다. 적들은 실탄을 아껴서 한 발로 한 명을 겨누었다. 대원 8명이 총을 맞고 물 밑으로 가라

앉았다. 중대장과 무전병은 늪을 빠져나와 가시덤불 속으로 기어 들어갔다.

마장세가 탄 3번기는 1번기에서 700미터쯤 남쪽으로 떨어진 개활지로 접근해서 고도를 낮추었다. 대원 7명이 다운 자일링으로 착지했다.

—굿 럭.

미군 조종사는 씹던 껌을 뱉고 랜딩 로프를 걷어 올렸다. 헬리콥터는 산악 위로 그림자를 끌며 돌아갔다.

3분대 무전병이 1분대 무전병을 호출했다.

—1분대, 위치를 말하라.

—모른다. 여기가 어디냐?

—거기가 너 있는 데 아니냐. 그걸 모른다고? 뭐가 보이냐?

—나무가 보인다. 3분대, 거기는 어디냐.

—여기? 나 있는 데 말이냐? 여기가 어디냐고? 그걸 내가 물었다. 여기도 나무가 보인다. 니미…….

1분대 무전병이 악을 썼다.

—안 들린다. 감이 멀어진다. 위치를 말하라.

중대장은 끝내 교신되지 않았다. 아군의 착지점은 노출되어 있었고 적들은 미리 매복하고 있었다. 분대들은 착지하자마자 포위되었고 지휘는 작동되지 않았다. 분대들끼리 작전을 연결시킬 수 없었고 진로도 퇴로도 보이지 않았다. 마장세의 분대는 원주민이 버린 축사 뒤에 매복했다. 분대원 7명 중 4명만 남아 있었다. 그중 한 명은 왼쪽 겨드랑이를 관통당해서 쓰러져 있었다. 분대에 새로 배속된 상병이었다. 이름은 김정팔(金丁八), 혈액형 O, 고향은 서울, 병과는 보병, 파병된 지 6개월 차였다. 무전병이 무전기를 잃어버려서 분대는 고립되었고, 마장세는 남은 대원들 중 선임자였다.

총알은 김정팔의 어깨에서 등으로 뚫고 나갔다. 적들은 근접해서 쏘았다. 상처 주변에 화약 연기가 엉겨 있었다. 사출구 쪽 살점이 너덜거렸고 심장이 박동할 때마다 상처가 벌컥거렸다. 매복지 왼쪽은 은폐물 없이 열려 있었다. 마장세는 매복지를 옮겼다. 대원 두 명이 판초와 나무토막으로 들것을 만들어서 김정팔을 싣고 관목 숲 속으로 달렸다. 김정팔이 실려 가면서 말했다.

—날 살리려고? 미안하다.

저녁에 바람이 멎고 날이 흐렸다. 벌레 소리가 밀림에 가득 찼고 뱀이 버스럭거렸다. 적들은 아무런 기척도 없었다. 새벽에 비가 내렸다. 마장세는 김정팔의 상처를 판초로 덮어주었다. 김정팔은 끽끽 울었다.

교신이 두절되었으므로, 헬기가 다시 와서 철수시켜 주지는 않을 것이었다. 헬기로 날아온 산악을 걸어서 대대까지 돌아갈 수 있을까. 여기는 대체 어디인가. 김정팔의 상처에서 붉은 빗물이 흘렀다.

닷새 후에 마장세는 살아남은 대원 두 명과 함께 대대로 귀환했다. 그 닷새 동안의 행적을 마장세는 연대 정보과에서 진술했다. 마장세는 그 진술이 사실인지 아닌지, 저 자신도 꿈 얘기를 하는 것 같았다. 진술서를 작성하는 정보장교도 믿기 어려워했지만 밀림 속으로 들어가서 마장세의 행적을 검증할 수도 없었다.

헬기로 공중 투입된 중대가 착지하는 순간에 지휘 통제력을 상실했다는 사실, 중대는 미리 잠복했던 적의 공격을 받고 통신 두절 상태에서 분산되었다는 사실, 마장세 외두 명이 그로부터 닷새 후에 도보로 산악을 이동해서 대대로 복귀했다는 사실은 분명했다. 연대 정보참모는 사실과 사실을 경험적으로 연결할 수 없었지만 드러난 사실을 인정했다.

마장세는 살아남은 대원 둘을 데리고 매복지를 떠날 때, 부상당한 김정팔을 사살했다는 사실은 진술하지 않았다. 마장세는 김정팔이 원주민의 축사 뒤에서 벌어진 전투에서 적탄에 관통되었고, 그 후 옮겨 간 매복 진지에서 사망했다고 보고했다. 복수의 진술이 일치했고, 정황이 성립되므로 대대장은 김정팔의 죽음을 전사로 처리했고, 고립된 상태에서 도보로 밀림을 극복해서 귀환한 마장세의 투혼에 무공훈장을 상신했다.

마장세가 상병 두 명을 데리고 매복지를 떠날 때 김정팔은 살아 있었다. 비가 그쳤지만 젖은 숲에는 마른자리가 없었다. 마장세는 김정팔을 바위에 누이고 김정팔의 상처를 햇볕에 말렸다.

헬기가 북쪽으로 날아왔으므로 대대본부는 남쪽일 것이었는데, 북쪽을 알 수 없어서 남쪽을 알 수 없었다. 헬기가 돌아간 하늘에는 자취가 없었다. 김정팔을 들것에 싣고 움직인다는 것은 불가능했다. 김정팔이 밀림 속에서 며칠 동

안 더 살아 있거나 죽거나 아무 차이 없을 것이라는 생각이
들어서 마장세는 안도했다. 그 안도감이 밀림 속에서 혼자
살아 있는 김정팔의 마지막 몇 시간을 생각하는 고통을 밀
어내주었다.

마장세는 두 상병들에게 말했다.

—대대본부로 돌아가자.

—아니, 걸어서요?

—그럼 여기서 죽을래?

—그럼 어떡하지요?

—넌 어떡하면 좋겠냐?

마찬가지다. 마찬가지야. 김정팔의 숨이 붙어 있거나 끊
어지거나 아무 차이 없다……. 그런 생각이 피어올라 마장
세의 마음을 덮었다. 아무 차이 없을 테지만, 밀림 속에서
혼자서 살아 있을 김정팔의 목숨을 마장세는 견딜 수 없
었다.

—짐을 줄여라.

라고 마장세는 상병에게 명령했지만 줄일 짐이 남아 있지
않았다. 마장세는 동남쪽에서 세 겹으로 겹치는 능선의 가
운데에 솟아 있는 봉우리를 지표로 삼아서 개활지를 따라

이동할 작정이었지만, 그것이 가능할는지는 자신도 알 수 없었다. 2부 능선 이상으로는 밀림이 우거져서 진입할 수 없었고, 개활지에서 적을 만나면 죽을 수밖에 없었다.

　―가자.

라고 마장세가 명령했을 때 상병들은 아직 죽지 않은 김정팔의 일을 묻지 않았다. 부상당해 쓰러져서 산 채로 버려지는 것과 어디론지 알 수 없는 길을 찾아 밀림을 헤매는 것은 한쪽은 누워서 죽음을 기다리고 한쪽은 죽을 자리로 걸어가는 차이는 있지만 결국은 마찬가지라는 걸 상병들도 알았고 마장세도 알았다.

10분쯤 갈대를 헤치고 나가다가 마장세가 말했다.

　―여기서 기다려. 금방 오겠다.

마장세는 온 길을 되짚어서 김정팔에게로 돌아갔다. 김정팔은 얼굴을 하늘로 향하고 누워서 어깨를 들썩거렸다. 오른쪽 어깨가 터져서 팔이 떨어져 나간 자리가 심장 박동에 따라 벌컥거렸고 거기에 벌레들이 꼬여 있었다. 마장세는 김정팔의 머리에 총구를 들이대고 두 발을 쏘았다. 총알이 머리를 뚫고 나가 바위에 튕겼다. 김정팔의 몸이 뒤틀리면서 바위에서 떨어졌다. 기다리던 상병 둘이 총소리에 놀라 서로 마주 보았다. 마장세가 돌아왔을 때 상병들은 아무것도 묻지 않았다.

닷새를 걸어서 마장세는 연대의 외곽 전초에 도착했다. 북두칠성의 맨 아래쪽 별의 방향이 남쪽이라고 고등학교 때 배웠다. 마장세는 그 수업 시간을 기억했으나, 별의 방향은 땅 위에서는 아무 방향도 아니었다.

2부 능선 이하의 저지대와 늪의 가장자리들이 겨우 이어졌다. 마장세는 온 길을 거꾸로 가지 않으려고 레이션 껍데기와 군복을 찢어서 나뭇가지에 매달면서 걸었다.

마장세의 귀환으로 대대본부에서 롱하이 지역까지 육로로 이동이 가능하다는 것이 입증되었다. 헬기들이 적의 대공 화망에 걸려서 자주 추락했으므로 육상 이동로는 전술적 가치가 높았다. 고립된 상태에서 귀환을 실천한 용기와 그 결과로 새로운 공격 루트를 개척한 것이 마장세의 공적 사항이었다.

대대는 다시 마장세를 앞세우고 육로를 헤치면서 롱하이 지역으로 출격했다. 마장세는 귀환할 때 나뭇가지에 매달아 놓았던 표식을 거꾸로 되짚어가면서 길을 찾아냈다. 대대가 롱하이 저지대에 진입했을 때 적의 정규군도 원주민도 보이지 않았다. 대대는 교전 없이 롱하이를 장악해서 적의 진지를 차지했고 원주민의 가옥을 불태웠다. 김정팔의 사체는 썩어서 뼈마디가 빠져 있었지만 목에 인식표가 걸려 있었다. 김정팔의 죽음은 전사로 분류됐고 사후 무공훈장이 추서되었다. 대대가 롱하이 지역을 재탈환하는 작전에서 김정팔의 전사가 선도적으로 기여한 전공이 인정되었다. 김정팔의 사체는 새 군복으로 염해서 화장되었고, 서울로 공수되어서 국립묘지에 묻혔다.

훈장 수여식은 연대본부 앞마당에서 열렸다. 인사장교가 공적 사항을 낭독하고 연대장이 목에 훈장을 걸어줄 때 마장세는 제대하면 어디로 가야 할 것인지를 생각하고 있었다.

김정팔이 여전히 숨이 끊어지지 않고 밀림 속에서 뒤채이고 있는 것 같기도 했고, 서울로 돌아가면 도심의 어느 거리에서 김정팔과 마주칠 것 같았다. 한국은 아버지 마동수가 헤매는 나라이고, 마장세의 총에 맞아 죽은 김정팔이 훈장을 달고 국립묘지에 묻혀 있는 나라였다.

마장세가 훈장을 받던 날 어머니의 편지가 도착했다. 어머니의 글씨는 가나다라를 겨우 엮어가면서 비틀거렸는데, 혈연으로부터 달아나는 일의 어려움을 일깨워주었다.

나는 그저 겨우 지낸다. 니 동생은 학교에 댕기는데, 머지 않아 입대하게 되었다. 니가 제대하자 니 동생이 입대하게 되니까 우리 집이 나라에 공이 많은 것이냐. 너의 아버지라는 사람은 무슨 헛것이 씌었는지 도통 밖으로만 싸지르고 두어 달에 한 번씩 집에 오는데, 왜 오는지 모르겠다. 내가 그 인간하고 살을 섞고 살아서 너희들을 내지른 세월을 생각하면 내 가슴에서 벌레가 끓고 들불이 인다. 너는 힘들고 쓸쓸하면 너보다 더 쓸쓸한 이 어미를 생각해라. 그게 내가 하려는 말의 전부다. 남의 나라 쌈하는데 가서 앞서서 날뛰지 말고, 조용히 엎드려 있다가 다치지나 말고 돌아와라.

어미 씀

마장세는 훈장을 받은 지 세 달 후에 베트남에서 제대했다. 마장세는 베트남에서 알게 된 퇴역 문관 샘런을 따라서 괌으로 갔다. 샘런은 정보 수집관이었다. 샘런은 대여섯 명의 사복조를 거느리고 사이공 지역의 사창가에 끄나풀을 심어놓고 거기에 출입하는 고위급 군인의 동태를 파악해 상부에 보고했다.

결혼

결혼식 사진 속에서 신랑 마차세는 어디론지 가려다가 멈춘 것처럼 엉거주춤했고 신부 박상희는 눈을 내리깔았다. 하객들과 함께 사진을 찍을 때 마차세는 천장을 쳐다보고 있었다. 사진사의 요청으로 마차세는 시선을 앞으로 돌렸는데, 시선이 너무 멀리 나가서 마차세는 결혼식장 저 너머를 바라보고 있었다. 마차세의 시선은 그 사진에 속하지 않는 듯했고, 빨리 식을 마치고 나가서 할 일이 있는 사람처럼 보였다.

이도순은 무릎 통증이 도져서 휠체어를 타고 작은아들 결혼식에 왔다. 큰아들 마장세가 휠체어를 밀고 식장에 들어섰다. 마장세는 고철 물량의 단가 협상을 하러 며칠 전에 서울에 왔다가 결혼식에 참석했다. 마장세는 깃이 넓은 더블 버튼 양복에 넥타이핀을 꽂았고 머리에 바른 기름이 이마로 흘러내렸다. 이도순은 예식장에서 빌려주는 한복을 입었는데, 관절염을 앓는 오른쪽 다리의 치마를 걷어 올려서 속옷이 보였고 환자용 슬리퍼를 신고 있었다. 신랑 쪽 가족은 이도순과 마장세 두 명뿐이었고 신부 측도 하객이 많지 않아서 사진은 헐렁했다. 사진을 찍을 때 마장세가 어머니 이도순의 휠체어를 밀고 앞으로 나왔다. 사진 앞줄에서, 마장세의 구두와 기름 바른 머리가 번들거렸고 이도순은 눈물에 화장이 뭉개져 있었다. 셔터를 누르면서 사진사는 신랑 형제와 어머니, 세 모자가 렌즈 속에서 심한 부조화를 이루고 있다고 느꼈는데, 신랑 형제의 생김새가 너무도 닮아서 그 부조화를 완성시키고 있었다.

마차세가 하객 쪽으로 돌아섰을 때부터 이도순은 어깨를 들썩이며 울었다. 사돈댁 내외가 민망했던지 이도순을 힐긋거렸다. 마장세가 어머니의 어깨를 두드려서 달래자, 울음은 안으로 억눌려서 끽끽 소리를 냈다. 신부가 입장해서 주례 앞에 설 때까지 이도순은 울음을 그치지 않았다.

주례는 박상희의 미술대학 지도 교수로 그림이 비싸게 팔리는 서양화가였는데, 결혼은 인류의 근본이며 가정이 화목하면 만사가 이루어진다며, 주례사를 이어갔다. 사랑과 가정의 바탕이 되는 '물적 토대'의 중요성을 강조하면서 주례는 말을 마쳤다.

주례사가 끝나고 신랑 신부가 하객을 향해 돌아설 때까지 이도순은 손수건을 눈에 대고 어깨를 들먹거렸다. 신랑 마차세는 우는 어머니를 찬찬히 들여다보았다. 박상희가 팔짱을 낀 팔에 힘을 주어서 마차세의 시선을 하객 쪽으로 돌렸다.

어머니는 1953년 겨울 피난지의 산부인과에서 벌어진, 둘째 아들의 탄생 설화를 되뇌면서 우는 것인가, 흥남부두의 겨울을 생각하면서 우는 것인가, 아니면 생애 전체를 종합적으로 울고 있는 것인가. 어머니의 울음이 이제 신혼살림을 차리는 자신의 생애 쪽으로 넘어오고 있는 것이 아닌지, 마차세는 어머니에게 울지 말라고 버럭 소리를 지르고 싶은 충동을 억눌렀다. 마장세가 어머니의 휠체어를 밀어서 앞으로 나올 때, 마차세는 마장세의 속에서 들끓고 있을 짜증을 생각했다.

마장세가 어머니 이도순의 휠체어를 밀어서 앞으로 나왔

다. 이도순은 손사래를 쳐서 싫다는 의사를 표시하는 것 같았다. 휠체어에 앉아서 무슨 사진이냐는 식이었다. 마차세의 눈에는 그렇게 보였다. 그때 신부 박상희는 마장세의 얼굴을 처음으로 보았다.

—제가 차세의 형 되는 사람입니다.

박상희는 섬칫 놀랐다. 마장세와 마차세는 구별하기 어려울 정도로 닮아 있었다. 울림이 넓은 목소리, 가늘고 긴 몸매, 초점을 알 수 없는 시선, 그리고 어디라고 말할 수 없는 표정의 그늘까지도 형제는 닮아 있었다. 아, 이 사람이 내 시아주버니로구나. 형제가 너무 닮아서 박상희는 무서웠다. 결혼식 날부터 웨딩드레스를 입고, 마씨 집안의 혈통의 늪으로 빠져 들어가는 느낌이었다. 땀이 등뼈를 따라서 흘러내렸다. 박상희는 마차세의 팔을 건 채, 마차세와 똑같이 생긴 마장세에게 목례로 답했다.

이도순은 통증이 치받쳐서 피로연에 참석하지 못하고 식이 끝나자 돌아갔다.

—형, 이번엔 와줘서 고마워. 먼 길을…….

피로연 자리에서 마차세는 마장세의 잔에 소주를 따랐다. '이번엔……'이라는 말은 맥없이 새어 나간 말이었지만,

베트남에서 제대하고 괌으로 가서 집안일에 나타나지 않은 마장세의 소행을 암시하고 있었다. 그렇게 말하면서, 마차세는 이게 형제간에 할 말인가 싶었다.

—딴 일로 왔었어. 너도 알잖아. 난 한국에 오면 힘들어. 집에 오면 더 힘들고. 아까 어머니가 울어서 돌아가고 싶더라. 어머니 때문에 니가 힘들겠구나. 하기야 아버지 때도 그랬지.

마장세는 혼잣말처럼 중얼거렸다. 마장세는 담배에 불을 붙여서 배 속 깊이 연기를 들이마셨다가 한숨과 함께 품어냈다. 옆자리에서 어린아이를 데리고 있던 여자가 담배 연기에 눈살을 찌푸렸다. 종업원이 다가와서 벽에 붙은 금연 표시를 가리켰다.

—야, 재떨이를 줘야 끄든지 할 거 아냐.

종업원이 재떨이를 가지러 간 사이에 마장세는 담배를 끝까지 다 피웠다. 마장세가 말했다.

—넌 담배 끊었니? 난 아직 못 끊었다. 의사는 끊으라지만, 이게 끊어지는 게 아니잖냐. 너도 피워봐서 알겠지. 안 피우면 끊는 건데. 피우면 못 끊는 거고.

형은 왜 동생의 결혼식장에 나타나서 이런 말을 지껄이고 있는 것일까. 빨리 자리를 모면하려는 것일까.

―형, 서울 왔으니까 바쁘겠네.

―그래. 이놈 저놈 불러내서 술 먹이는 게 일이다. 아주 더러운 일이지.

박상희는 형제의 대화에 끼어들지 않으려고 다른 하객들과 이야기하고 있었다. 마장세가 자리에서 일어났다.

―넬, 한 탕이 더 남아 있어. 난 모레 괌으로 돌아간다. 잘 살아라. 너 애도 낳을 거냐?

마차세가 마장세를 이끌어서 박상희의 자리로 왔다.

―형 간대. 인사드려.

박상희가 얼굴을 붉혔다. 박상희는 고개를 숙여서 마장세의 시선을 피했다. 박상희가 겨우 말했다.

―또 뵙겠습니다.

마장세가 예식장 밖으로 나오면서 배웅 나온 마차세에게 말했다.

―신부가 아주 선녀 같구나. 맑아. 내 처하곤 딴판이네.

마차세는 형수라는 여자를 한 번도 본 적이 없었다. 박상희와 '딴판'인 여자는 어떤 여자인지, 마차세는 상상되지 않았다.

마차세가 신부를 데리고 하객들의 자리를 돌며 인사를

마쳤을 때, 마르고 구부정한 노인이 마차세에게 다가왔다. 코밑수염이 지저분했고 눈매가 사나웠다. 마차세는 그 노인을 본 기억이 있었지만 누구인지 떠오르지는 않았다.

—이봐 나야. 하춘파야. 자네 선친의 혁명 동지일세. 선친 초상 때도 내가 왔었잖아. 결혼 축하하네.

—아 네……. 고맙습니다.

마동수의 초상 때 와서 육군 상병인 상주에게 "야, 마 상병. 너, 나라 잘 지켜"라면서 술주정하던 사람이었다. 그가 결혼식을 어떻게 알고 예식장을 찾아왔는지는 알 수 없었다. 하춘파는 마차세의 어깨에 손을 얹었다.

—훌륭해. 멋있어. 아버질 닮아서 귀공자풍이야. 자네, 형도 잘생겼더군. 마동수가 저승에서 든든하겠어.

하춘파가 그렇게 말하고 테이블 위의 돼지머리 고기를 새우젓에 찍어서 입에 넣었다. 하춘파는 고기를 씹으면서 말했다.

—자네, 나 차비 좀 줄 수 있겠나?

하춘파의 목소리는 다른 하객들에게도 들렸다. 하객들이 마차세를 쳐다보았다. 하춘파는 또 말했다.

—자네 선친하고 나하고는 니 거 내 거 없이 서로 나눠

썼어.

하춘파의 눈은 메말라 보였고, 동자에서 흙먼지의 회오리가 일어나는 느낌이었다. 죽은 아버지의 혼백은 아직도 서울 거리의 여관에 장기 투숙하고 있는 모양이었다. 마차세는 하춘파의 팔을 당겨서 예식장 사무실로 갔다. 축의금 접수를 맡은 마차세의 친구 한 명이 돈을 정리하고 있었다. 형 마장세가 낸 축의금 봉투가 눈에 띄었다. 마차세는 마장세의 봉투를 열었다. '축 결혼, 마장세'라고 쓴 봉투 안에 50만 원이 들어 있었다. 마차세는 손가락에 침을 뱉어서 지폐를 세었다. 마차세는 20만 원을 하춘파에게 내밀었다.

—이건, 우리 형 마장세가 낸 축의금입니다.

—그러니 받기가 더 편하군. 죽은 마동수가 주는 걸로 알겠네. 또 옴세.

하춘파는 돼지머리 고기와 인절미를 싸가지고 돌아갔다.

결혼식 사진 속에서 하춘파는 맨 뒷줄에 서 있었다. 앞사람에 가려서 하춘파의 얼굴은 보이지 않았고 헝클어진 머리카락만 보였다. 머리카락에서 먼지가 이는 느낌이었다. 마차세는 결혼식 사진을 서랍에 깊숙이 넣고 꺼내 보지 않았다.

첫날밤

제주도 서귀호텔은 신혼부부들로 붐볐다. 프런트 앞에 신랑 오십 명이 줄을 서서 체크인 수속을 했다. 여자들은 로비 가장자리 소파에 앉았다. 여자들은 껌을 씹거나, 다른 여자들을 힐긋거리며 쳐다보았다. 수속이 끝난 신랑들은 제여자를 손짓으로 불러서 바퀴 달린 가방을 끌고 객실로 올라갔다.

마차세 부부는 밤 9시쯤에 객실에 들어왔다. 전등을 켜자 썰렁한 방 안이 드러났다. 더블베드의 머리맡 장식이 요란했다. 전기스탠드의 누런 금속재가 번들거렸고 흰 벽 위에 의미를 알 수 없는 추상화가 걸려 있었다. 바다 쪽으로 난 베란다 난간에 '추락주의'라는 팻말이 걸려 있었다. 새로 지은 호텔에서 새것의 날 냄새가 났다. 방 안의 모든 집기가 들떠 보였다. 신축 후에 한 번도 손님을 받지 않은 방인 듯했다. 아무도 다녀간 적이 없고, 사람의 손이나 발이 닿아본 적이 없는 방 같았다. 이 낯선 방에서, 오늘 결혼한 여자와 함께 밤을 지내야 하는구나⋯⋯. 마차세는 그 썰렁한 방의 날 냄새 속에서 결혼을 실감했다. 박상희가 침대에 걸터앉았다가 일어서면서 마차세의 목을 안았다.

―이 방, 너무 쓸쓸해.

―그렇구나. 새 방이라서, 시작이라서 그럴 거야.

마차세는 신부의 머리를 안고 입 맞추었다. 입안이 달고 따스했다. 입술을 떼자 방 안의 적막이 더욱 견디기 어려웠다. 마차세는 FM 라디오를 틀었다. 곡명을 알 수 없는 경음악 연주곡이 흘러나왔다.

마차세는 호텔 벽장 속에 준비된 목욕 가운으로, 박상희는 실내용 통치마로 갈아입었다.

―좀 쉬자. 자기는 이르고.

마차세가 냉장고에서 맥주를 꺼내서 베란다 의자에 앉았고, 박상희가 마주 앉았다. 마차세가 말했다.

—통치마를 입으니까 편안해 뵈는구나. 식구 같네.

박상희가 깔깔 웃었다.

—앞으로 자주 입을게. 여러 가지 무늬로 장만해 놓고. 니가 좋아하니까.

—이젠 나보고 너라고 하지 마. 결혼했으니까, 당신이라고 해.

박상희가 또 깔깔 웃었다.

—너가 어때서? 이인칭인데.

—이인칭이라도, 품격이 없잖아.

—품격보다도, '당신'이 통치마에 어울리겠다. 근데, 그게 잘 될까. 차차 해볼게. 연습을 좀 해야지.

웃음이 멎자, 방 안의 적막이 더 무거웠다. 날이 흐려서 별은 보이지 않았다. 캄캄한 바다가 밤하늘과 붙어 있었고, 암흑 속에서 파도 소리와 바다 냄새가 끼쳐왔다. 박상희가 말했다.

—그럼 연습을 해볼게. 당신, 낮에 식장에서 너무 힘들어 보였어. 사진 찍을 때 왜 천장을 봤어?

마차세는 맥주를 한 모금 마시고 손등으로 입을 닦고, 어두운 바다를 내려다보았다.

―어머니가 너무 울어서, 내가 눈 둘 곳이 없었어.

―아들이 장가가니까 좋아서 우셨겠지. 노인들 슬플 때 울음을 참았다가, 기쁠 때 터뜨리잖아.

―상희야, 그 얘긴 하지 말자. 우린 오늘 결혼했잖아.

박상희는 오늘부터 남편인 사람의 아픈 곳을 건드렸나 싶어서 멈칫했다. 박상희는 늘어진 머리 타래를 훑어 올리고 실핀을 질러서 희고 긴 목을 남편에게 보여주었다. 푸른 정맥이 목을 건너서 귓바퀴 뒤쪽으로 사라지고 있었다. 바다 건너편에서 서치라이트가 어둠을 훑었고 새 한 마리가 어둠 속으로 날아갔다.

―목이 예쁘다.

―예뻐? 고마워 당신.

둘이 잔을 부딪쳤다.

박상희가 말했다.

―당신 형님, 당신이랑 너무 닮아서 깜짝 놀랐어.

―형제니까 닮은 거지. 그게 이상해?

―이상한 건 아니지만, 왠지 무서웠어.

―무섭다고? 나도 그게 무서워. 무서웠는데, 그걸 내가 모르고 있었던 거야.

—그게 왜 무서운 거지?

—벗어날 수 없는 굴레니까 무서운 거겠지. 우리 형제는
모두 아버지 닮았어. 형은 아버지의 흔적이 싫어서 한국에
안 오는 거야. 또 베트남에서 군 복무할 때 말 못할 일을 저
지른 모양이야. 형 친구들이 그러더군.

—형님한테, 한국에 와서 살라고 말해 본 적 있어?

—없어. 하나 마나야. 내가 잘 알아.

박상희가 마차세의 잔에 술을 따랐다. 형 이야기를 하니
까 마차세는 갑자기 오르는 취기를 느꼈다.

—난 아버지를 묻을 때 슬펐지만 좋았어. 한 세상이 이제
겨우 갔구나 싶었지. 이런 사람이 다시는 태어나지 않기를
빌면서 흙을 쾅쾅 밟았어. 형은 그 힘들게 지나간 자취가
너무 힘들어서 견딜 수 없는 거지. 형은 아버지를 피해 다니
려다가 또 다른 수렁에 빠져가고 있는 게 아닐까? 난 여기
서 살 거야. 나도 결혼했으니까 아버지가 되겠지.

—당신 피곤해? 우리 누울까?

—아냐, 괜찮아. 아까 식장에서 돈 뜯어 간 사람 누군지
알아? 혁명가야. 우리 아버지의 옛 동지래. 무슨 뜻이 같았
는지는 모르겠지만. 그 사람이 아버지 대신 온 것 같아서

무섭더군. 아버지가 아직 안 죽은 것 같기도 했고.

—그래서 당신 오늘 힘들어 보였구나. 나도 그러리라고 짐작은 했어.

박상희는 이 가엾은 남편과 살아갈 날들이, 아득하게 느껴졌다. 살아온 날들의 시간과 거기에 쌓은 하중을 모두 짊어지고 한 번도 살아본 적이 없는 시간의 벌판을 건너가야 할 것이었다. 벌판은 저쪽 가장자리가 보이지 않았다. 박상희가 말했다.

—오늘 주례사 중에서, 생활을 물적 토대 위에 세워야 한다는 말이 인상적이었어.

—뻔한 말이지. 맞는 말은 다 뻔하게 들리거든. 인상적일 것은 없고.

—어른처럼 말하네.

—결혼했으니까. 오늘.

마차세는 자신의 물적 토대를 생각했다. 생각할 건더기가 없었다. 아버지는 이 세상에 아무런 토대를 놓지 못하고 발디딜 곳 없이 겉돌고 헤매다가 갔다. 마차세는 대학에서 경영학을 공부했는데, 제대 후에 복학하지 못했다. 마차세는 제대 후에 주간으로 발행하는 경제 전문 잡지에 기자로 취직해서 수습 기간을 넘기고 정규직 월급의 초봉을 받고 있었다. 박상희는 미술대학에서 서양화를 전공했다. 박상희는 디자인이나 실용 예술 방면으로 취직하지 못했다. 박상희는 동네에서 초중고생들을 상대로 하는 미술 학원에서 실기 지도를 하면서 생활비를 벌고 있었다. '물적 토대'라는 말에 마차세는 다시 한 잔을 마셨다.

"우린 물적 토대가 너무 빈약하구나"라고 말하면서 마차세는 박상희의 표정을 살폈다. 박상희가 웃으면서 말했다.

—기도문에는 그냥 '일용할 양식'이라고 되어 있어.

—아름다운 말이네. 경건하고…….

—이제 됐지? 우리 눕자. 늦었어.

박상희가 먼저 자리에 누웠다.

—불을 끄자.

—흐린 등을 켜. 얼굴이 안 보이는 건 싫어.

마차세가 흐린 등을 켰다. 어둠에 파도 소리가 스몄다. 파도가 절벽을 때리고 깨질 때 푸른 인광이 일었다. 파도가 들어올 때, 소리는 어둠을 뒤덮으면서 밀려왔고, 파도가 물러설 때 소리는 어둠 너머로 밀려 나갔다. 들어오는 소리는 가득 찼고, 나가는 소리는 비어 있었는데, 발생 이전의 소리처럼 음정(音程)으로 구분되지 않았다. 어둠 속에서 박상희가 말했다.

—들어봐. 들어오는 소리와 나가는 소리가 다르지?

—그렇구나. 그게 잇달아 있구나. 저 소리를 그리려고?

박상희가 손으로 마차세의 얼굴을 더듬었다. 마차세가 입을 벌려서 박상희의 손가락을 입에 넣었다. 마차세가 말했다.

—손이란 참 좋구나.

박상희가 어둠 속에서 하하 웃었다.

아침에 일출의 빛이 바다에 가득 찼다. 빛이 들끓는 물이랑을 헤치고 고깃배들이 돌아오고 있었다. 배 지나간 자리에서 빛들은 명멸했다. 아침에 마차세 부부는 돌무덤 사잇길을 따라서 바닷가를 산책했다. 아침에 샤워를 해서, 박상희의 머리카락이 젖어 있었다. 박상희가 말했다.

—바다는 늘 새 바다네.

—그렇구나. 늘.

마차세는 팔에 힘을 주어서 박상희의 손을 겨드랑이에 밀착시켰다.

해직

마동수는 6평짜리 공동묘지에 묻혔다. 1945년 이후 상해
나 만주에서 돌아온 망명자들 중 몇 명이 묘지 동남쪽에
함께 묻혀 있었다. 마동수의 동지들이 거기에 묻을 것을 요
구했다. 그 묘역 한복판에 어린애 키만 한 시멘트 비석이 서
있었고, 거기에 '권력 없는 세상'이라는 글씨가 새겨져 있었
다. 글씨는 풍화되어서 흐릿했다. '권력 없는 세상'의 맨 아래
쪽에 6평짜리 빈자리가 있었다. 마차세는 6평이 너무 커서
4평만 쓰려고 했으나 묘지 관리 사무소는 땅을 잘라주지
않았다.

매장이 끝난 후 마차세는 묘지 6평 값의 일부만을 현금

으로 지불하고 나머지는 20개월 할부로 갚겠다고 묘지 사무장에게 말했다. 사무장은 난색을 보였다.

—아니, 부모를 할부로 모시는 사람도 있소?

—없어서 그럽니다.

—없다면 어떡하라는 거요?

사무장은 군복에 상병 계급장을 붙인 상주와 문상객들의 초라한 몰골로 봐서 돈 나올 구멍이 없으리라는 것을 알았다. 사무소장은 미납금에 연리 20퍼센트를 붙여서 18개월 할부로 계약서를 써 주었다.

마차세는 주간 경제 잡지 기자로 3개월 근무하고 실직했다. 대통령이 부하의 총에 맞아 죽고, 그 사건을 수사하는 군인이 최고 권력의 자리에 올랐다. 세상에 어지러운 말이 너무 많고, 말이 말을 불러들여서 난세의 혼란이 계속되므로 난세를 치세로 바꾸어 가지런히 하려면 말을 줄여야 하고 그러기 위해서 신문 잡지를 없애든지, 여러 개를 하나로 합쳐야 한다는 것이 권력의 방침이었다.

마차세가 근무하던 주간 경제 잡지사는 다른 월간 잡지사와 합쳐졌고, 양쪽에서 직원들의 절반이 해고되었다. 해고자들한테 미리 사표를 받아서 해고는 의원면직의 형식을 갖추었다. 해고되는 사람과 고용이 유지되는 사람들의 명단도 권력 쪽에서 내려왔다. 마차세는 회사 고위층에 와 닿은 권력의 작용이 어떠한 것인지를 알지 못했다. 회사는 시대의 요청에 따른 것이라고 해고 사유를 설명했다. 해고자 명단은 A4용지 한 장에 인쇄되어서 회사 게시판에 붙었다. 해고 날짜는 일주일 뒤지만, 내일부터 출근하지 않아도 좋다, 퇴직금 이외에 위로금으로 한 달 치 월급을 더 주겠다는 말이 쓰여 있었다. 그날 저녁에 해고자들은 조용히 개인 용품을 챙겨서 집으로 돌아갔다. 여느 날의 퇴근 때와 같았다. 해고되지 않은 사람들도 제 시간에 퇴근해서 돌아갔다. 회식은 없었다.

마차세는 경제 전문 주간지의 기업 담당 기자였다. 대기업이나 재벌 기업은 경험이 많은 기자들의 몫이었고 마차세는 중소기업과 자영업을 맡았다. 기업들의 하청 계약 관계, 신규 투자, 매출, 고용, 임금 동향, 노사 관계가 주요 기사 아이템이었다.

마차세는 숫자에 더듬거려서 늘 팀장의 질책을 받았다. 실물(實物)을 숫자로 바꾸어서 표기할 때 마차세는 실물과 숫자와의 관계가 낯설었고, 숫자의 동그라미가 몇 개인지를 빨리 헤아리지 못했다. 숫자를 써서 기사나 지표를 작성할 때 마차세는 동그라미를 한 개 더 쓰거나 덜 쓰는 실수를 저질렀다. 팀장은 경악했고, 마차세의 실수는 거듭되었다. 마차세는 숫자나 지표로 현실을 파악하는 능력이 모자랐다. 마차세는 기자 노릇을 하면서 그 결핍을 알게 되었다. 기호가 실물을 표현하는 능력을 갖는다는 것을 마차세는 긍정하기 어려웠다. 기호와 실물 사이에 허방이 있어서 거기에 빠져 허우적거리는 느낌이었다. 이 거듭되는 억 단위의 숫자를 읽을 때 마차세는 그런 두려움을 느꼈다. 기호가 실물인 것을 잊어버리고 거기에 부딪히면 죽거나 다칠 것이었는데, 기호는 실물과 사소한 관련도 없이 떠돌다가 사라지는 부표와 같았다. 해고되던 날 저녁에 사물함을 정리해서 조용히 회사를 떠나는 사람들도 그렇게 떠돌다가 사라지는 기호처럼 보였다. 해고되던 날 저녁에 회사는 조용했다. 결혼한 첫해였고 입사한 지 3개월이 지났었다. 두 달 치 월급을 퇴직금으로, 한 달 치 월급을 위로금으로 받았다. 해고되던 달에 마차세는 회사에서 받은 퇴직금으로 아버지의 묘지 값 할부 18개월 치를 한 번에 완납했고 묘지 관리 사무소는 마차세의 명의로 된 양도증서를 보내왔다.

　—막막하지? 그럼 시작할 때 빈 종이처럼. 좀 더 견뎌. 세탁기 돌려서 빨래 널어줘…….

　아침에 출근하면서 박상희는 그렇게 말했다. 실직의 날들은 막막했고 시간은 그 막막함으로 꽉 차 있었다. 초중고가 방학하는 여름에 박상희는 오전에 미술 학원으로 출근했다. 마차세는 오전에는 집 안을 청소하고 혼자서 점심을 먹고 오후에는 일자리를 알아보러 나왔다. 마차세는 냉장고를 살펴서 오래된 마요네즈와 시든 야채를 쓰레기 봉지에 넣어서 버렸고 토스트 기계 주변에 떨어진 빵가루를 쓸어냈다. 마차세는 화장실 욕조 바닥에 낀 물때를 닦아냈고 박상희가 벗어놓은 블라우스와 통치마를 세탁기로 빨아서 베란다에 널었다.

　젖은 옷을 옷걸이에 꿰어서 빨랫줄에 거니까 옷이 사람처럼 느껴졌다. 옷을 향해서 '상희야……'라고 부를 뻔했다. 마차세는 옷에 코를 대고 냄새를 맡았다. 일상의 작은 것들을 모으고 쌓아서, 막막한 날들을 건너갈 수 있을 것인지를 마차세는 생각했는데, 그것이 과연 가능할까 싶었다.

　오후에 마차세는 입사 지원 서류를 접수시킨 회사들을

찾아다니며 면접을 했다. 회사들은 대체로 대학 졸업 이상의 학력을 요구했다. 학력 조건이 헐겁다는 회사들도 막상 대학 졸업 증서가 없는 지원자들은 B급으로 분류했다. 마차세의 직장 생활 3개월을 의미 있는 경력으로 인정해 주는 회사는 없었다. 면접장에는 흔히 회사 대표가 가운데, 임원들이 양 옆에 앉아 있었다. 입사 지원자가 앉는 자리는 책상이 없이 의자만 한 개 가져다 놓아서, 지원자는 기댈 곳이 없었고 회사 임원은 지원자의 전신을 볼 수 있었다.

—마차세 씨는 왜 학업을 중단했습니까?

세 번째로 찾아간 광고 회사 대표는 그렇게 물었다. 채용 여부를 결정하는 데 학업을 중단한 사유를 왜 알아야 하는 것인지를 마차세는 물어보지 못했다. 마차세는

—돈이 없어서입니다.

라고 대답했다. 회사 대표는 옆자리에 앉은 이사에게 몸을 기울이고 낮은 목소리로 말했다.

—이런 애를 어떻게 판단하나?

—말투가 불량합니다. 저항기가 있군요. C급입니다.

이사가 마차세에게 말했다.

—돌아가시오. 채용될 경우에는 일주일 안에 연락하겠소.

연락은 오지 않았다. 마차세는 일곱 개 회사에서 일곱 번 떨어졌다. 봄에서 여름이 다 지나갔다. 일곱 번째 떨어지고 집으로 돌아온 날 저녁에 마장세한테서 전화가 걸려왔다. 목소리가 술에 취해 있었다.

─야, 너 잘렸다면서?

마차세는 형의 말투에서 모욕을 느꼈다. 마차세는 형이 모르고 있기를 바랐다.

─야, 그게 사실이야?

─그래 석 달 됐어. 형, 어떻게 알았어?

─멀리 있어도 다 아는 수가 있지. 넌 왜 나한테 말하지 않았니?

─형이 그런 거 알고 싶어 하지 않으니깐. 말해 봐야 뭐하겠어.

─너도 나 닮아가는구나. 야, 좋은 걸 닮아라. 근데 너 왜 잘렸니?

─모르겠어. 시대의 요청이래.

─모른다고? 그게 말이 되냐. 니미. 너, 거기서 살다간 늘 그 꼴로 당한다. 한참 더 당해야 될 거야. 야, 돈 좀 보내줄까?

어느 쪽에서 먼저 끊었는지 모르게, 전화가 끊어졌다. 동생의 실직을 확인하려는 것인지, 멀리 떨어져서 안전하게 자리 잡은 자신의 성공을 자랑하려는 것인지, 마차세는 형이 전화를 걸어온 의도를 알 수가 없었다. '돈 좀 보내줄까?'로 통화는 끝났었다. 그 어조는 돈 다발을 보여주면서 돈이 아쉬운 쪽의 간청을 받고 나서야 보내주겠다는 것처럼 들렸다. 마차세는, 형이 아마도 소액의 돈을 보내줄 것이라고 생각했다. 그것이 마장세가 가족들에게, 서울을 향해 말을 거는 방식이었다.

박상희는 마차세가 실직한 동안에 집안일의 일부를 남편에게 맡겼다. 마차세는 가끔씩 빨래를 널고 유리창을 닦고 싱크대를 청소했다. 박상희는 그 사소한 노동으로 남편의 마음이 일상에 정착하기를 바랐다. 마차세는 아내의 마음을 짐작했지만 내색하지 않았다. 마차세가 형과 통화한 날 저녁에 박상희가 말했다.

　—요리를 해봐. 공들여서 음식을 만들고 나면 마음이 편해져. 국물 있는 음식으로.

마차세는 두부, 호박, 양파에 고추장을 풀어서 찌개를 끓였다. 박상희가 말했다.

─불을 내려. 약한 불에 오래 끓여야 국물 맛이 깊지.

마차세가 불을 줄였다. 끓는 소리가 잦아들었다. 고추장
을 너무 많이 넣어서 국물이 맵고 짰다. 마차세가 말했다.

─짜구나. 물을 넣을까?

─물을 넣으면 싱거워지지만 물이 겉돌아서 맛이 없어져.
한 번 끓은 것은 돌이킬 수가 없지. 물끼리도 잘 안 섞여.

─참 많이 아네. 어떻게 알지?

─몇 번 해보면 금방 알게 돼.

둘이서 마주 앉아 풋고추조림과 고추장찌개를 놓고 늦은
저녁을 먹었다. 박상희가 마차세의 눈치를 살폈다.

─당신, 아까 형 전화 받고 마음 상했지?

─음, 어떻게 알았지?

─느낌이 그랬어. 형이 뭐래?

─내가 잘린 걸 형이 알았어. 여기서 살면 늘 그렇게 당하
게 되어 있다고 그러더군. 돈을 보내줄 것처럼 말했어.

─보내준다는 거야? 얼마를?

─그건 확실히 말 안 했어.

─그럼 왜 돈 얘기를 꺼냈지?

─그러게 말야.

—당신 속상했겠구나.

—늘 그랬잖아. 형 전화를 받고 나니까 돌아가신 아버지 생각이 나는군.

—갑자기 아버진 왜?

—아버지는 거점이 없었어. 발 디딜 곳 말이야. 형은 그런 아버지가 싫어서 형 자신의 거점을 없앤 거야.

—형님도 꽴에 거점이 있잖아. 부인도 있고.

—글쎄. 그게 거점일 수 있을까.

—말이 너무 어려워.

—아냐. 아주 쉬운 말인데.

얘기가 길어져서 고추장찌개가 식었다.

박상희의 부모는 결혼에 반대했었다. 마차세가 대학을 졸업하지 못해서 사회에 받아들여지지 못할 것이고 집안이 한미해서 기댈 곳이 없다는 것이 반대 이유였는데, 박상희의 집안도 초라하기는 마찬가지였다. 결혼 말이 나왔을 때, 박상희의 아버지는, 우리가 남루하니까 저쪽이라도 힘이 있어야 해…… 쫑[證]이 없으면 줄이라도 있어야지. 두 개가 다 없으면 어찌 밥벌이를 하겠나, 라고 말했다. 박상희의 아버지는 지방 군청의 7급 주사보로 정년퇴직한 지 5년째였다. 박상희의 아버지는 불만의 표시로 넥타이를 매지 않고 결혼식에 왔다. 마차세는 아버지 초상을 치르고 나서 복학하지 않고 결혼했다. 마차세의 결혼은 다급해 보였다. 취직한 지 두 달 만에 계약직 수습사원의 급여를 받아서 어떻게 살림을 꾸려 나가려는 것인지, 마차세 자신도 계산이 되지 않았지만, 마차세의 집안에는 결혼을 말리거나 미룰 만한 어른이 없었다. 신부 댁에 보내는 함도 예물도 없이, 마차세는 결혼을 서둘렀다. 아버지가 죽어서 세상은 홀가분했다. 아버지의 몸은 검불 같은 것이었지만, 그 무게가 마차세의 시간을 짓누르는 중력은 컸다. 아버지가 살아 있다 하더라도 생활의 지표가 될 리도 없었고 생계에 보탬이 될 수도 없었기 때문에 아버지가 죽어서 남은 사람의 삶이 더 막막해졌다고 말할 수는 없었고, 아버지가 죽음으로써 아버지를 한평생 끌고 온 시간과 아버지가 한평생 지고 온 짐이 소멸함으로써 아버지 없는 세상은 더 새롭고 가벼워질 것도 같았지만 아버지의 시간과 아버지의 짐이 과연 소멸할 수 있을 것인지는 확실치 않았다. 아버지가 검불같이 하찮고 의미 없는 존재라고 한다면, 그랬기 때문에 아버지가 죽어서 없어지고 난 후의 세상은 더욱 막막했다. 마차세는 그런 막

막막함에 쫓기듯이 결혼을 서둘렀고, 박상희는 마차세의 조바심을 짐작하고 있었다. 박상희는 마차세의 그 막막함과 서두름을 사랑이라고 생각했는데, 그렇게 세상을 멀리 빙 돌아서 다가오는 사랑의 우원한 회로를 마차세에게 말하지는 않았다. 그때 마차세는 결혼이 그 막막한 세상에서 몸 비빌 수 있는 작은 '거점'이 되어주기를 바랐다. 박상희는 생활을 구성하는 온갖 작고 하찮은 것들이 쌓여서, 그것들이 서로 인연을 이루고 질감을 빚어내서 마차세의 시간을 메워주기를 바랐다. 마차세가 아버지와 어머니와 형의 지난날을 이야기할 때 박상희는 마차세의 목을 안고 마차세의 입안으로 입김을 불어넣어서 자신의 숨결과 몸 냄새를 마차세의 몸 안으로 밀어 넣었다. 그런 저녁에는 밥상머리의 이야기가 길어져서 찌개가 식었다.

박상희가 찌개를 데워 오면서 말했다.

—당신 형님이 돈 좀 보내줬으면 좋겠다. 우리 지금 어려우니까 말야.

박상희가 마차세의 눈치를 살피며 더운 국물을 마차세 앞으로 내밀었다. 마차세의 얼굴에 흐린 그늘 같은 것이 스치고 지나갔다. 마차세가 말했다.

—아마 줄 거야. 아버지 초상 때도 쳤고 우리 결혼 때도 쳤잖아. 그게 형이 자신을 유지하는 방식이니까.

—그래도 먼저 달라고 하진 말아.

—그래 알았어.

—내가 돈 얘기 해서 불편해?

—아니. 필요한 얘기지.

일상의 남루함을 받아들이는 마차세의 마음에 박상희는 문득 사랑을 느꼈다. 세상을 멀리 돌아서 다가오는 사랑이었다. 박상희가 찌개에서 호박 건더기를 집어서 마차세의 밥 위에 올렸다.

—먹어, 많이. 호박이 남자한테 좋은 거래. 책에서 읽었어.

—남자한테? 여자는 아니고?

—여자는 아니래나 봐. 그런데 당신한테 좋으면 나한테도 좋으니까.

—그럼, 하나 마나 한 소리군.

둘이서 마주 보며 웃었는데 웃음 끝이 허전했다. 박상희가 말했다.

—술 줄까? 돈 얘기 했으니까 술 먹는 게 좋겠지.

―그래. 술 먹자.

박상희가 냉장고에서 소주를 꺼내 왔다. 둘이서 잔을 채워서 부딪치고 마셨다. 마차세가 말했다.

―술맛 좋구나.

―앞으로 더 좋을 거야.

둘이서 마주 보며 웃었다. 박상희가 다시 한 잔 들이켜고 말했다.

―당신은 이제 거점이 있는 거야. 알겠지?

―그래, 그러니까, 또 취직을 해야지.

―내가 빨리 취직하라고 내모는 거 아니야.

―알아. 그건 당신 마음이고.

박상희는 또 마셨다.

―나, 당신 형수한테 편지 쓸까 봐. 내가 아래니까.

―무슨 말을 하려고?

―그냥 안부 편지. 여자들끼리 수다 떠는 식으로. 동서 간에 얼굴 한번 못 봤잖아.

―글쎄. 형 말로는, 형수가 당신하고는 영 딴판이라더군.

―딴판이라면, 어떻다는 거야?

―그건 나도 몰라. 나도 본 적이 없어.

마차세는 박상희가 정말로 형수한테 편지를 보낼 수도 있을 것이라고 생각했다. 박상희는 어려운 일을 쉽게 할 수 있는 여자였다. 무거운 것들이 박상희에 이르면 가벼워지는 비밀을 마차세는 늘 경이롭게 여겼다.

─당신 다시 면접 보러 갈 거야?

─음, 가야지. 며칠 쉬었으니까. 여덟 번째야. 이번엔 유통 회사인데 어떨지 모르겠어.

─유통 회사?

─음, 유통 회사래. 물류 회사.

마차세 부부는 자정이 넘어서 자리에 들었다. 박상희는 정성 들여 이를 닦고 혓바닥과 잇몸과 입천장을 닦았다. 박상희는 마차세의 입을 벌리고 그 속으로 자신의 입김을 넣어 주었다.

당신의 손

박상희는 서양화 현상 공모에서 두 번 낙방했다. 졸업한 첫 해는 미술진흥원의 연례 공모에 출품했었는데, 입선자 20명 중에 들지 못했고, 그다음 해에는 언론사가 미대 졸업생들을 대상으로 현상 공모한 전시에서 낙방했다. 미술진흥원의 공모 행사는 입선자들에게 정부 기관에서 발행하는 인쇄물의 디자인 일을 우선적으로 배정해 주겠다는 특전이 딸려 있었다. 미술진흥원 공모에 입선해서 일거리를 얻고 취직에 유리한 경력을 쌓아서 생활의 물적 토대를 장만하려던 박상희의 계획은 무너졌다. 결혼식 날 신랑 쪽으로 접수된 축의금은 예식장 비용과 피로연 밥값 정도였고, 신부 쪽

축의금은 10평 정도 전세방 보증금의 반 정도였는데 그중 반을 신부의 어머니가 가져가서 혼숫감을 마련하느라고 빌려 온 돈을 갚았다. 박상희의 어머니는 딸이 신혼여행에서 돌아온 날 나머지 반을 통장으로 보내왔다. 박상희의 어머니는 전화로 말했다.

—반을 보낸다. 나머지 반도 다 널 위해 쓴 거니까 다 준 거나 마찬가지야. 더 달래지 마.

—고맙습니다, 어머니.

박상희는 그 돈을 보증금으로 해서 다세대 주택 3층에 15평짜리 월세방을 얻었다. 거기가 마차세, 박상희 부부의 신혼 방이었다. 입주한 첫날, 박상희가 거실 벽에 그림을 걸었다.

미술진흥원 공모에서 낙선한 작품이었다. 20호 크기의 캔버스에 사람의 오른손과 왼손이 그려져 있었다. 왼손은 손바닥을, 오른손은 손등을 보여주고 있었다. 왼손 바닥의 굵은 손금이 손바닥을 가로질렀고 가는 손금들이 끊어질 듯이 손가락 사이로 숨어들고 있었다. 손금들은 손바닥에 가득 깔려서 큰 흐름에 합쳐져서 저편으로 건너가거나 공간에서 길이 끊겨 살 속으로 스미듯 실종되었다. 오른손 손등에는 푸른 핏줄이 손가락 끝 쪽으로 흘러갔고, 바람이 부는지 손가락 마디 위의 잔털이 흔들려 보였는데, 손톱 아래쪽에서 먼동이 트고 있었다. 마차세가 벽에 못을 박아서 그림을 고정시켰다. 박상희가 손바닥을 펴 보이며 말했다.

—내 손을 그린 건데, 내 손 같아?

—글쎄. 누구 손인지 너무 가늘다. 저 손으로 어떻게 연장을 쥐고 살아갈 수 있을 건지 안쓰럽네.

—힘을 그리려던 것이 아니야. 힘은 형태 밑에 숨어 있는 거지. 손이 처한 순간을 그리려고 했어.

—어렵구나.

—나중에 당신 손도 그려줄게.

—온 세상 사람의 손을 따로따로 그려낼 수가 있나?

—할 수 있을 거야. 손은 다 따로따로 가지고 있으니까. 개별적으로 그려야지.

마차세가 낄낄 웃었다.

—어렵구나. 그러니까 낙선했겠지.

—그런 소리 하지 마. 손의 개별성, 이건 낙선과는 관련 없어.

—그림 제목이 뭐지?

박상희가 또 손바닥을 펴 보였다.

─'박상희의 손'이라고 할까.

─그냥 '내 손'이라고 하면 어때?

─그건 너무 사적이다.

─그럼 '당신의 손'이라고 할까?

─그게 좋겠어. 당신의 손을 잡는 것은 내 손이니까, 또 내 손을 잡는 손은 당신 손이니까 당신의 손이나 내 손이나 결국 같은 거지만 '당신의 손'이 '내 손'보다 더 가깝게 느껴지네.

〈당신의 손〉이 벽에 걸려 있으니까 마차세는 연립주택 3층의 월세방이 오래 살던 방처럼 느껴졌다. 밤에는 가로등 불빛이 흘러들어와서 〈당신의 손〉을 비췄는데 그때 손은 액자 밖으로 나와서 공간을 떠다니는 것처럼 보였다.

미술 학원은 아파트 단지 입구 상가 빌딩 2층에 있었다. 원장은 미술, 컴퓨터, 사진, 일본어 강좌를 차려놓고 강사를 고용해서 학원을 운영하고 있었다. 미술 과정에서는 초중생들이 연필그림, 물감그림의 기초를 배웠고 나머지 과정은 낮 시간에 아파트 내의 주부들이 수강했다. 수강료는 강사와 원장이 반씩 나누었다.

방학 중에는 수강생들이 몰려서 오전반, 오후반으로 수업을 나누었다. 박상희는 오전반, 오후반을 모두 맡았다. 아파트 단지 길 건너, 공원에는 소나무, 자작나무, 벚나무 등이 자라서 숲을 이루었고 여름에는 호수에 연꽃이 피었다. 심은 지 오래된 소나무들은 뿌리가 자리를 잡아서, 가지들은 구부러지고 휘어졌고, 수피(樹皮)에 거북 문양의 껍질이 덮였다. 소나무 가지들은 사람이 예측할 수 없는 방향으로 돌연 비틀리고 휘어졌는데 그 구비마다 힘이 맺혀 있었다. 자작나무는 바람이 없어도 나뭇잎이 흔들렸다. 나뭇잎이 흔들릴 때 빛들은 입자로 흩어졌고 내려앉았다. 자작나무 숲 건너편의 작은 동물원에서는 토끼, 다람쥐, 너구리가 굴 밖으로 얼굴을 내밀고 세상을 두리번거렸고, 작은 소리에도 놀라면서 쉴 새 없이 먹이를 주워 먹었다.

박상희는 그림을 배우는 중학생들을 공원으로 데리고 가서 손바닥으로 소나무 껍질을 만져보게 했다.

—천천히, 잘 만져봐. 잘 들여다보면서 만져보고, 눈을 감고 만져봐. 그림을 잘 그리려면 잘 만져봐야 해.

박상희는 아이들이 손바닥으로 느끼는 소나무 껍질의 느낌이 아이들의 마음에 깊이 저장되어 있다가 종이 위에서 선이나 색으로 드러나기를 바랐다. 느낌의 내용을 말로 타인에게 전해 줄 수는 없었고 느낌을 느끼게 해주는 것만이 교사의 일이라고 박상희는 생각했다. 박상희는 아이들을 데리고 토끼, 다람쥐 사육장 앞에 가서 동물들의 손짓, 발짓, 표정과 움직임을 들여다보도록 했다. 박상희는 아이들이 다람쥐와 토끼의 몸놀림에서 생명의 느낌을 얻기를 바랐다. 박상희는 또 유자 껍질, 조개 껍데기, 달걀 껍데기를 교실에 가져가서 아이들에게 만져보도록 했고, 눈을 감고 서로 얼굴을 더듬어보도록 했다.

—선생님은 손으로 만져본 느낌을 그릴 수가 있나요?

라고 중학교 3학년 여학생이 물었다.

—그릴 수 없어도, 그 느낌을 가지고 있어야 그림을 그릴 수가 있다.

라고 박상희는 대답해 주었지만, 전달되거나 이해될 수 없는 말이라고 스스로 생각했다. 박상희는 아이들이 종이나 캔버스에 선을 긋고 물감을 칠할 때 그 종이나 캔버스를 빈 공간이 아니라, 이 세상으로 받아들여주기를 바랐으나 그 바람 또한 이해받기는 어려웠다. 어머니들이 박상희의 수업 방식에 항의했다. 어머니들은 원장에게 전화를 걸어서

—아니, 맹인 훈련을 시키는 겁니까?

라고 말했다. 아이들에게 더듬기, 만지기를 시키지 말라고 원장은 박상희에게 경고했다. 박상희는 원장이나 학부모를 설득할 수는 없었다. 사물을 손으로 주무르고 거기에 몸을 비비지 않고서는 종이 위에 선을 그을 수 없다는 것을 박상희는 남에게 이해시킬 수 없었고 왜 그런지를 자신에게도 설명하기 어려웠다. 박상희는 야외 수업을 중단하고 실내에서 사생을 가르쳤다. 자연광 체험이 부족한 아이들은 빛과 어둠이 서로 스미고 벗어나면서 만나고 헤어지는 시간과 공간을 들여다보지 못했다. 아이들의 감각은 사물에 활착하지 못했고 박상희는 자신의 수업이 아이들의 마음에 자리잡지 못하고 있음을 알았다.

10월이 지나도록 마차세는 취직하지 못했다. 입동이 지나고 바람이 서늘해지자 세상은 더 휑했다. 박상희가 오후반 수업에 가는 날, 마차세는 집에서 저녁 밥상을 차려놓고 아내를 기다렸다. 마차세는 2인분 쌀을 씻어서 전기밥솥에 넣고 스위치를 올렸다. 매끼마다 반찬은 세 가지를 넘지 않기로 둘이서 정했다. 생선을 좋아하는 마차세는 고등어를 굽거나 김치에 통조림 참치를 넣어서 찌개를 끓였다. 마차세는 박상희가 돌아오는 시간에 맞추어서 고등어를 구웠고, 쌀을 안쳤다. 쌀이 끓기 시작하면 증기 구멍으로 김이 품어져 나왔고 방 안에 밥 익는 냄새가 가득 찼다. 밥 익는 냄새는, 처음에는 추수를 앞둔 가을 논의 벼 냄새가 바람에 실려 오는 것처럼 멀었고, 차츰 진하게 자리 잡아갔다. 밥이 익는 냄새 속에서, 마차세는 바람에 날려 와서 연고 없는 땅에 떨어져 겨울을 맞는 홀씨 한 개를 생각했다. 밥이 뜸드느라고, 전기밥솥이 부글거리며 뜨물을 넘겼다. 밥이 익는 냄새 속에서 마차세는 직장에서 해고되던 날 저녁의 그 적막을 생각했다. 그때 조용히 개인 용품을 챙겨서 돌아간 사람들도 지금 전기밥솥으로 저녁밥을 지으면서 밥 익는 냄새를 맡고 있을 것이었다. 밥이 익는 냄새 속에서 마차세는 세상으로부터 겉돌고 헤매다가 죽은 아버지와 그 아버지의 하중을 피해서 멀리 나간 형을 생각했다. 두어 달에 한 번 집에 돌아오는 아버지는 어느 해 겨울에 언 고등어 한 손을 들고 있었다. 어머니는 닭 모이로 쓰려고 김장 시장의 배추 쓰레기를 걷으러 가고 없었다. 그때 마차세는 아버지가 사온 고등어를 석쇠에 얹어서 아궁이의 잉걸불에 구웠다. 고등어는 등에서 푸른빛이 났고 토막은 두툼해서 먹을 것이 많았다. 냄새도 식량이 되는지, 고등어 굽는 연기는 고소하고 기름져서, 냄새만으로도 먹고 있다는 식감을 주었다. 냄새는 그 냄새를 발산하는 음식을 먹고 있다는 느낌을 몸속에 퍼트렸는데, 그 환상에 끄달리면서 배는 더 고팠다. 아버지는 늘 밥숟갈이 넘치도록 밥을 떠서 입에 넣었다. 숟가락질 서너 번이면 밥 한 그릇을 다 비웠다. 밥을 넘기고, 고등어구이를 넘기고, 물을 넘길 때 아버지의 목울대는 심하게 흔들렸다. 밥이 식도를 넘어가는 과정이 밖으로 드러나는 듯했다.

밥 익는 냄새와 고등어를 굽는 냄새 속에서 죽은 아버지가 떠오르는 까닭은 알 수 없었지만, 그 연상 작용은 어쩔 수 없었다. 마차세는 어쩔 수 없다고 스스로에게 이해시켰고, 그 연상을 내버려두었다. 아버지가 세상에 활착하지 못하고 떠돌면서 찾아 헤매던 것은 대체 무엇이었을까. 그것이 왜소하고 초라한 것이었다 하더라도 무방할 것이고 부끄럽지는 않을 것이었는데, 그 초라한 것들을 세상에서 이루기는 왜 그렇게 어려운 것이었을까. 아버지에 대한 생각은 일상의 밥 먹기나 겨울의 추위나 음식 냄새의 끄트머리에서 살아났다.

겨울방학 동안에 박상희는 학원에서 오전 수업, 오후 수업을 마치고 나서 저녁에는 미대를 지망하는 학생을 개인지도했다. 박상희는 저녁 8시쯤 집으로 돌아와서 마차세가 준비한 밥과 반찬으로 저녁을 먹었다.

　―고등어를 구웠구나. 현관 들어오면서 알았어.

　―창문을 열어도 냄새가 남는군.

　―당신은 고등어 굽는 냄새와 조기 굽는 냄새를 구별할 수 있겠어?

　―어려운 질문이다. 구별할 수 있지만 설명할 수는 없겠네.

　―설명할 수 없어도, 다른 냄새지. 살이 다르니까, 살이 타는 냄새도 다른 거야.

　―냄새를 그리려고 그래?

　박상희가 웃었다.

　―아냐. 안 될 일이지. 하고 싶지만.

　마차세는 밥 익는 냄새와 고등어 굽는 냄새 속에서 살아나는 아버지의 기억을 박상희에게 말하지 않았다. 말하지 않아도, 박상희는 아마 알고 있을 것이라고 마차세는 생각했다. 박상희는 일상의 사소한 것들의 질감이 마차세의 마음속에 쟁여지기를 바랐다.

연말에 마장세는 마차세에게 돈을 보냈다. 돈을 보내기 전에, 마장세는 꽘에서 마차세에게 전화를 걸어왔다.

　―야, 너 취직했냐?

　―알아보는 중이야.

　―알아본다고? 여태? 답답하구나. 너 거기서 얼마나 더 당하려고 그래. 니 처는 잘 있냐?

　―미술 과외 지도하고 있어.

　―넌 처 덕에 사는구나. 부럽다.

　―그럼 형도 형수 덕에 살지그래.

　―너, 깐죽대지 마. 돈 좀 보낼 테니까 그리 알아라. 돈으로 때우는 게 서로 속 편하지. 많이는 못 준다. 서울 지사에서 연락이 갈 거다.

　마장세는 서울 지사에 송금을 지시했고, 지사 직원이 마차세의 통장으로 돈을 보냈다. 액수는 마차세의 두 달 치 생활비 정도였다. 돈을 받던 날은 춥고 흐렸다. 박상희는 오후 수업이 없어서 일찍 귀가했다.

　―형이 오늘 돈을 보냈더군. 전화도 왔어.

　―형님이 뭐래?

　―내가 처 덕에 산다고 부럽대.

박상희가 문을 들어서며 마차세의 표정을 살폈다.

─돈은 고맙지만, 당신 형님 나쁘다. 그런 말은 잊어버려.

─알았어. 미안해. 노는 게 길어지면 안 될 텐데…….

밤에 마차세 부부는 〈당신의 손〉이 걸린 방에서 몸을 섞었다. 박상희가 마차세의 입으로 숨을 불어넣었고 마차세가 박상희의 안으로 몸을 밀어 넣었다. 박상희의 몸이 가득 찼고 마차세의 몸이 떨렸다. 거리에서 불빛이 흘러들어와서 〈당신의 손〉을 비췄다. 손이 액자 밖으로 나와서 공간을 쓰다듬으면서 떠돌았다. 손은 물고기처럼 어둠 속을 떠다니며 흐느적거렸다. 마차세 부부는 나란히 누워서 어둠 속에 떠도는 〈당신의 손〉을 바라보았다.

국립묘지

　김정팔 상병은 1972년 9월 25일 베트남 중부 산악 롱하이 지구에서 마장세 병장에 의해 사살되었다. 김정팔의 죽음은 전사로 분류되었고, 사후에 무공훈장이 추서되었다. 김정팔의 유해는 공수되어 국립묘지에 안장되었다. 김정팔의 공적 조서에는 전사한 날짜가 9월 23일로 기록되어 있었다. 이 날짜는 생환자인 마장세의 진술에 따른 것이다. 김정팔은 9월 23일에 롱하이 지구에 공중 투입되었고 늪에 착지하는 순간 교전이 벌어져 적탄에 어깨가 관통되었고 25일 오전까지 목숨이 붙어 있었다. 마장세 병장은 25일 하오 2시 전장에서 철수하면서 김정팔을 사살했다. 마장세의 의식 속에서

9월 23일과 25일은 구분되지 않았다. 그날의 행위는 김정팔을 죽인 것이 아니라 생존자들 중의 선임자로서 전장을 마무리하는 과정에서 김정팔의 목숨을 정리한 것으로 기억되어 있었다. 9월 하순이면 한국 절기로는 추석 무렵이었다. 괌으로 이주한 후 마장세는 추석 밑에 서울에 다녀갔다. 마장세는 서울의 가족에게 연락하거나 들르지는 않았고, 거래처 임원들이나 감독관청의 공무원들을 만나서 접대를 하거나 선물을 돌렸다. 가끔씩은 서울 지사 직원을 마차세나 어머니의 요양원으로 보내서 한 달 치 생활비 정도의 돈을 전하면서 근황을 캐묻게 해서 보고받았다. 마차세가 결혼식 후에 실직하고, 면접에도 연이어 떨어지고, 첫아이로 딸을 낳고, 이사 가고, 요양원에 들어간 어머니의 병세가 악화된 것을 마장세는 그렇게 해서 알았다.

1982년 추석 밑에 서울에 온 마장세는 국립묘지에 묻힌 김정팔의 묘소를 참배했다. 김정팔이 죽은 지 10년 만이었다. 김정팔의 친형 김오팔은 죽은 동생보다 열 살이 위였는데 고철 무역으로 연매출 5백억을 넘기면서 산업훈장을 받았다. 김오팔은 국내외에서 폐철을 매집해서 철을 재가공하는 국내 대기업에 넘겼다. 김오팔의 거래선은 주로 동남아였지만 물량이 많고 단가가 맞으면 태평양 지역까지 배를 보내서 폐철을 신고 왔다.

김오팔은 동생 김정팔이 베트남에서 죽은 다음 해에 지방 소도시에서 자본금 1백만 원 정도의 영세 고물상으로 시작했다. 자본금은 야적장 임대료와 관리비를 내기에 빠듯했다. 중간 수집상이 몰아오는 폐철을 받고 어음을 끊어주었고, 어음 만기가 되면 단기 자금을 끌어다 돌려 막았다. 고철 중개업은 폭발물 밀매, 도난 차량 해체, 불법 부품 교체 같은 범죄와 연계될 수 있다고 해서 허가 조건이 까다로웠다. 경찰, 군청, 군부대, 정보기관의 허가를 차례로 받아야 했다. 지방 소도시에서 5명의 사업자들이 경합하고 있었는데, 자본의 규모와 사업 계획은 비슷했다.

김오팔의 동생 김정팔이 베트남전쟁에서 전사했고, 대대의 진격로를 확보하는 작전에서 전공이 인정되어 사후에 무공훈장이 추서되고 일계급 특진해서 국립묘지에 안장된 사실은 김오팔이 사업자로 선정되는 데 결정적으로 유리했다. 국가유공자 유족에 대한 특혜에 경쟁업자들은 반발하지 못했다. 김오팔의 사업은 안정적으로 출발했고, 거래 물량이 많아서 3년 만에 대기업 납품을 독점했다. 김오팔 형제는 충북 내륙에서 복합 영농을 하는 면 단위 소읍에서 태어났다. 김정팔이 죽던 해에 김정팔의 아버지는 칡을 캐러 깊은 산에 들어갔다가 8일 만에 부패한 시체로 발견되었다. 발견된 위치는 가파른 바위 밑 덤불 속이었고, 늑골이 함몰되어 있었다. 경찰은 멧돼지에 받혀서 죽은 것으로 추정하고 수사를 끝냈다. 남편과 아들의 줄초상을 치르고 나서 어머니는 실신했는데, 그 뒤로는 정신이 늘 온전치 못했다. 김오팔은 자신의 성공이 오직 전사한 동생의 무공훈장 덕이라고 믿었다. 인적 없는 산속에서 야생동물들과 먹이를 다투다가 멧돼지에 받혀 죽은 아버지의 죽음과 국가에 공을 세우고 전사해서 국립묘지에 묻힌 동생의 죽음 사이에는 길고 험한 발전의 과정이 있었던 것이라고 김오팔은 생각했다. 김오팔은 해마다 추석 밑이면 국립묘지로 아우가 묻힌 자리를 찾아가서 대리석 묘비 앞에 술을 따르고 향을 피웠다.

마장세는 동업자 협회의 대외 담당 이사를 통해서 김오팔에 대한 정보를 수집했다. 정보는 A4용지 두 장으로 정리되어 팜으로 전송되었다. 김오팔의 친동생이 베트남에서 죽은 김정팔이라는 사실은 마장세의 사업에 의미 있는 정보였다. 그때 마장세는 남태평양의 여러 섬에 방치되어 있는 자동차 잔해의 사업적 가치를 분석하고 있었다. 김오팔을 통해서 국내 시장에서 거래선을 확보하고 거래 물량이 안정된다면 화물선을 움직여볼 만했다. 마장세는 동업자 협회 이사를 통해서 김오팔에게 '죽은 김정팔의 베트남 전우'라고 인사를 전하고 국립묘지에 갈 때 함께 가고 싶다는 뜻을 전했다.

평화국립묘지는 마주 보고 다가오는 두 산자락이 내려앉는 구릉의 남쪽 사면이었다. 외호하는 산자락이 동서로 날개를 벌렸고 그 날개 안쪽을 다시 작은 산자락이 감싸서 금계포란의 형국을 이루었고 그 혈 자리 아래쪽으로 묘역이 펼쳐져 있었다. 죽음 하나에 대리석 묘비가 한 개씩 박혀서 벌판을 가득 메웠고, 벌판이 끝나는 곳에 강물이 닿아 있어서 묘비의 대열은 지평선을 넘어서 하늘에 닿았다. 무덤은 높은 자리부터 차례로 채워져 내려와서 베트남전쟁 전사자 묘역은 강가에 가까웠다.

마장세는 묘지 관리 사무소에서 '김정팔'의 묘지 번호와 약도를 받았다. 묘비는 제식훈련을 하는 부대처럼 오와 열을 맞추어서 벌판을 건너갔다. 상사, 중사, 하사, 병장, 상병, 일병들의 묘비가 가을빛에 반짝였다. 묘비 밑에 묻힌 재는

성분이 다 똑같을 것이었지만 이름은 제가끔이었다. 묘비 사이를 걸어가면서 마장세는 1972년 9월 25일 롱하이에서 덜 죽은 김정팔을 사살한 일은 잘한 일도 아니고 잘못한 일도 아니며, 거기에 잘잘못을 들이댈 수는 없는 일이라고 생각했다. 가을빛에 반짝이는 말뚝들이 마장세의 마음속에 그런 생각을 끌어당겨주었다. 그때 죽이지 않았더라면 김정팔은 밀림 속에서 혼자 죽거나, 적에게 끌려가서 심문받다가 죽었을 것이고, 실종으로 분류되어 무공훈장도 묘비도 없었을 것이었지만 딱히 어느 쪽이라고 말할 수는 없었다. 그때 김정팔을 쏘아 죽인 것은 일이 그렇게 되어질 수밖에 없는 대로 되어진 것이라고 마장세는 비석들 사이를 걸어가면서 생각했다. 그렇지 않은가? 무엇이 잘못되었단 말인가. 마장세는 스스로에게 되물어서 마음을 안정시켰다.

김오팔이 먼저 와서 묘비 앞에 돗자리를 깔고 앉아 향을 피워놓고 있었다. 김오팔 옆에 또 한 사내가 앉아서 소주를 마시고 있었다. 마장세는 멀리서부터 김오팔을 알아보았다. 얼굴 옆모습이 어디라고는 말할 수 없었지만, 죽은 김정팔과 닮아 있었다. 시선이 옆으로 쏠려서 불안정한 눈도 김정팔과 똑같았다. 총알을 받을 때, 김정팔의 반쯤 뜬 눈의 시선도 그렇게 정처 없었다. 김오팔의 얼굴에 김정팔이 겹칠 때 마장세는 문득 자신의 모습과 닮은 마차세를 생각하면서 섬칫 놀랐다. 김오팔과 함께 온 사내는 양준석, 1972년 9월 25일 마장세가 김정팔을 사살하고 전장에서 철수할 때 동행했던 분대원, 그때 파월 6개월째의 상병이었다. 양준석은 1972년 9월 25일의 일을 모두 알고 있었는데 귀대한 후 연대 정보참모의 전황 조사에서 김정팔은 9월 23일 강습 작전 때 헬기에서 착지한 직후 벌어진 교전에서 전사했다고 진술했다. 마장세는 양준석과 김오팔이 어떤 관계로 김정팔의 묘지를 함께 찾아왔는지를 알 수 없었다. 마장세는 김오팔에게 손을 내밀어 악수했다.

—제가 마장세입니다. 정팔이의 선임이었지요. 그날 작전도 같이 나갔었습니다.

김오팔이 말했다.

—반갑습니다. 정팔이가 죽어서 집안이 일어섰어요. 무공훈장 덕이지요.

마장세가 말했다.

—사업 규모가 크시다고 얘기 들었습니다.

—밥은 먹지요. 사업 초기에 어려웠는데, 죽은 정팔이 덕

을 많이 봤지요.

김오팔이 양준석을 마장세에게 소개시켰다.

—아, 그럼 두 분이 잘 아시겠네. 여긴, 죽은 정팔이의 전우입니다. 가끔 저하고 같이 정팔이 묘지에 옵니다.

마장세가 손을 내밀어서 양준석과 악수했다. 둘은 자연스럽게 말을 내렸다. 마장세가 말했다.

—오랜만이군. 널 보니까 우리가 안 죽었다는 걸 알겠다. 그때 죽을 수도 있었는데.

—정팔이가 대신 죽었잖아. 무공도 세우고…….

마장세는 양준석의 얼굴을 살폈다. 양준석의 얼굴은 편안했고, 흔들림이 없었다. 양준석의 표정에서 1972년 9월 25일의 일은 지워지고 없었다. 마장세는 안도했다.

큰 강의 하구 쪽으로 해가 기울어서 노을이 강물 위에 퍼졌다. 묘비들의 들판 가장자리가 붉었고, 가을 잠자리가 묘비 위에 내려앉았다.

양준석이 소주를 따라서 묘비에 올렸다. 김오팔, 양준석, 마장세가 나란히 서서 묘비를 향해 두 번 절했다. 양준석이 마장세에게 물었다.

—넌, 뭐 하니 요즘?

―난, 베트남에서 제대하고 괌으로 갔어. 거기서 뭐, 고철 수집도 하고, 관광업도 좀 하면서 그냥 살아.

―거긴 살기 좋겠네.

―글쎄. 좋다기보다는, 휑해서 편하지.

―휑?

―그래, 휑하게 비어 있어. 발목 잡는 것들이 없어. 인연도 없고.

양준석은 마장세가 하는 말의 뜻을 알아들을 수는 없었지만 캐묻지도 않았다. 마장세가 물었다.

―넌 제대하고 나서 뭐 했니?

―신학교에 들어갔었는데 목사가 되지는 못했고 교단 사무국에 취직해서 겨우 먹고산다. 애가 둘이야.

―니가 신앙심이 깊었구나.

―제대하고 나니까 그렇게 되더군. 뭔가 용서를 받아야 한다는 생각이 들었어.

―용서? 뭘 말야?

―글쎄, 그게 막연해. 우리들 모두 다겠지.

마장세는 양준석의 말에 더 이상 말려들지 않아야 한다고 생각했다. 서울에는 역시 발목을 잡는 덫들이 깔려 있었다. 마장세는 말을 돌렸다.

　―너, 베트남에 있을 때 죽은 정팔이랑 친했었니?

　―파월 동기였지. 군번도 비슷했고 정팔이가 귀국할 때 가져갈 거라고 M-16 탄피를 모았는데, 50킬로그램쯤 됐어. 귀국 박스에 넣어 가서 부산 부두에서 팔면 한 학기 등록금이 된다고 하더군. 그걸 내가 가지고 왔잖아. 그걸 팔아서 신학교 입학금을 냈어.

　―정팔이가 좋은 일 많이 하고 갔구나.

　김오팔이 대화에 끼어들었다.

　―정팔이도 베트남에서 탄피를 수집했었구나. 그게 내가 고철 무역을 하게 된 인연이었던가 봐. 정팔이가 죽어서 날 밀어준 거지.

　마장세는 김오팔의 명함을 얻어서 지갑에 넣었다. 마장세가 말했다.

　―형제의 인연이 보기 좋습니다. 고철 사업 관계로 한번 연락드리겠습니다.

　강물에 노을이 사위고 어둠의 첫 자락이 내렸다. 노을은 해 지는 하구 쪽 물 위에 깔렸고, 상류는 어둠에 녹아들었다. 시선에 닿는 것이 아무것도 없이, 물과 하늘 사이로 저

무는 남태평양의 일몰을 마장세는 떠올렸다. 서울의 한복
판에까지 그 남태평양의 노을이 밀려온 듯싶었다. 양준석은
집이 부산이라면서 저녁 열차 시간에 맞추어 서울역으로
갔다. 마장세와 김오팔은 평화국립묘지 입구에서 악수하고
헤어졌다.

오토바이

마차세의 실직 기간은 11개월이었다. 1월 초부터 마차세
는 '고속물류'로 출근했다. 입사 지원에서 여덟 번 떨어지고
아홉 번째 취업이 되었다. 마차세는 그 여덟 개의 회사를 기
억하지 못했다. 여덟 개의 회사는 한 덩어리가 되어서 마차
세 마음속에 뭉쳐 있었는데, 채용이 결정된 고속물류도 그
여덟 개의 회사와 구별되지 않았다. 이 회사나 저 회사나,
노동과 임금을 교환하는 시장인 것은 마찬가지였다. 마차
세는 직장과 직업을 통해서 무언가 번쩍거리는 것을 이루기
보다는 다만 임금을 벌기 위해 몸을 수고롭게 하는 행위만
으로도 노동을 할 수 있다고 스스로 생각했다. 입사 지원에

서 계속 떨어지고 고속물류 회사에 지원서를 낼 때 마차세는 석기나 청동기 시대에 수렵 채취하는 사내들이나 뱃사공, 마부, 어부, 염부, 목부들의 노동을 생각했다. 임금이 실물(實物)을 매개하지 않고, 근육의 수고로움으로 직접 물고기나 짐승을 잡는 노동이 더 편안할 것도 같았지만, 몸의 힘으로 짐승을 잡는다는 일로 일용할 양식을 기약할 수는 없을 것이었다. 들판에 사냥감이 씨가 마르고 사람과 사람의 틈바구니에 먹이가 있다고 할 때, 임금을 받는 노동이 실물 수확보다 생존에 유리하다는 것은 분명해 보였다. 그것은 분명했으나, 마차세는 현금으로 임금을 받을 때마다 신석기의 수렵 채취 노동을 떠올렸다.

사냥감은 보이지 않았고 사냥감을 찾아다니는 사람들이 거리를 메우고 흘러갔다.

고속물류는 종합 운송업체였다. 백화점이나 기업체의 상품 배달 업무를 대행했고, 일반 회사들 사이의 물품 거래, 서류 발송, 개인의 배달 심부름까지 위탁받았다. 고속물류의 배달망은 전국의 군과 읍 단위까지 깔렸다. 대량 유통되는 농수산물은 도 단위로 묶어서 8톤 트럭으로 실어 갔고, 대도시 안에서 유통되는 소규모 거래는 1.5톤 트럭으로, 20킬로그램 미만의 소형 물품이나 급한 서류는 오토바이로 운송했다.

마차세는 관리직으로 지원했으나 운송직으로 임용되었다. 면접을 마치고 일주일 만에 인사 담당자가 전화를 걸어와서, 운송직을 수락하는 조건으로 채용할 수 있고, 두 달동안의 수습 훈련 기간이 필요하다고 말했다. 훈련 내용은 운전 실습, 대도시 지리 파악, 교통법규 학습, 물건 취급 요령, 방문 요령과 장부 작성이었다. 운송직의 급여는 기본급이외에 한 달 운송 거리와 운송료 수입을 합산해서 거기에 따른 성과급이 지급되고 차량 연료비와 보험료는 회사가, 교통 범칙금은 운송 직원이 부담하게 되는데, 그동안 운영 결과를 보면 운송직이 같은 경력의 관리직보다 연봉이 10퍼센트 정도 많은 편이라고 인사 담당자는 말했다. 인사 담당자의 전화를 받은 날 저녁에 마차세는 박상희에게 취업 조건을 설명했다. 박상희는 샤워를 하고 나와서 헤어드라이어로 머리카락을 말리고 있었다.

—오토바이 배달을 하겠다는 거야?

—자영업은 아니야. 여긴 회사에 소속되어 있잖아. 고정급이 있고 보험료도 회사에서 내준대.

―하지 마, 위험해.

―너무 오래 놀아서……. 뭐라도 시작해야겠어.

―일 년도 안 됐잖아. 초조해하지 마. 다음 달부터 해운 회사 사보 디자인 일감 맡게 될 것 같아. 오늘 그쪽 사람과 만나서 얘기했는데, 느낌이 좋았어.

―당신이 벌어서 우리 어머니 요양원비까지 내는 건 내가 견딜 수 없어. 뭐라도 해야지.

―그래도 그건 하지 마. 하루 종일 길바닥에서 어떻게 견디냔 말야.

―길바닥이나 책상 앞이나 일은 다 마찬가지야. 먹이를 버는 거잖아. 사냥꾼이나 어부나 늑대나 솔개나……. 그게 오히려 아름다운 거지.

박상희가 마차세의 표정을 살폈다. 마차세의 얼굴에 웃음기가 번져 있었다. 박상희는 그 웃음기가 기쁨인지 슬픔인지 분간할 수 없었다. 박상희가 헤어드라이어를 내려놓았다.

―너무 오래 하진 말아.

―우선 시작해 볼게. 길바닥을 배우는 것도 나쁘지는 않을 거야.

박상희가 마차세를 뒤에서 안았다. 박상희의 머리카락에

서 해초의 풋내가 풍겼다. 마차세는 고속물류 담당자에게 전화를 걸어서 운송직을 수락했다.

마차세는 두 달간의 수습 훈련을 거쳐서 오토바이 운송 팀에 배치되었다. 오토바이 운송팀 20명이 수도권을 각 방면별로 나누어 동선을 짜고 있었다. 회사는 마차세에게 오토바이를 지급했다. 배기량 150시시짜리 오토바이 뒷좌석을 화물칸으로 개조하고 거기에 최대 하중 80킬로그램 정도의 물건을 싣도록 했다. 화물칸과 운전자 사이에 철봉을 막아서 화물을 로프로 묶어 고정시키도록 고안되었다. 철봉은 운전자 앞쪽으로 비스듬히 박혀서 오토바이가 달리면 화물은 앞쪽으로 쏠리면서 중량이 속도에 올라탔다. 화물의 중량이 저 자신의 무게로 오토바이를 몰고 나가는 구조였다. 아침마다 팀장이 방면별로 작업을 할당했고 방면 조장들이 수시로 오토바이들의 동선을 수정해서 지시했다.

마차세는 비교적 빠르게 길과 화물과 오토바이에 적응해 가는 것으로 방면 조장은 평가했다. 마차세의 하루 운행 거리, 운행 시간, 배송 건수, 연료 사용량, 물품 훼손 건수는 매일 저녁 방면 조장의 장부에 입력되었다.

마차세는 선임자들에게 배운 대로 도심지 교차로 신호등에서는 대기 차량의 맨 앞줄에 오토바이를 들이대고 신호를 기다렸다. 앞줄에는 늘 여러 회사들의 배송 오토바이들이 횡대로 늘어서 있었다. 신호등 앞에서 급제동을 걸면 오토바이가 멈추어도 뒷자리에 실린 화물들이 앞으로 내달아서 속도는 뒤쪽에서부터 앞으로 쏟아지듯이 차체를 밀어붙였다. 브레이크에 눌린 바퀴가 길바닥에 미끄러지면서, 차체가 위아래로 벌컥거렸다. 일렬횡대로 늘어선 다른 오토바이들도 똑같이 벌컥거리며 신호를 기다렸다. 신호가 바뀌면 오토바이들은 엔진 파열음을 쏟아내며 튀어 나갔다. 한 줄로 늘어섰던 오토바이들은 신호가 바뀌면 직진, 좌회전, 우회전으로 흩어졌고 다시 신호가 바뀌면 다른 오토바이의 대열이 대기선상에 급정거하면서 차체를 벌컥거렸다.

핸들이 자주 흔들려서 오토바이 백미러 속의 세상은 불안정했다. 세상은 영상이 되어 그 볼록거울에 비쳤는데, 영상은 깨져서 흩어졌고 또 나타났다. 8차선 도로 전체가 자동차의 엔진음과 에어브레이크의 비명에 덮여 있을 때도, 백미러 볼록거울 속의 세상은 적막했다. 소음에 찬 거리의 이면은 아무런 소리도 발생하지 않았거나, 발생한 소리가 귓속으로 건너오지 않는 무인지경의 적막이었다. 8차선 교차로 신호 대기선에서 백미러를 들여다보면서, 마차세는 중화기와 진지들이 눈에 덮이는 동부 산악 고지의 적막을 생각했고, 직장이 통폐합되어서 강제 실직당하고 사람들이 흩어져 돌아가던 날 저녁의 적막을 생각했다. 여러 적막이 백미러 안에 겹쳐 있었고, 신호가 바뀌면 마차세는 다시 액셀을 당겨서 튀어 나갔다.

방면 조장은 오토바이들에게 작업을 지시했고, 동선을 조정했다. 방면 조장은 오토바이를 '오'라고만 발음했고 작업 중 통화에서는 존댓말을 쓰지 말라고 지시했다.

—7번 오 마차세, 위치를 말해라.

—은하로 5구간 통과 중이다. 8구간 끝의 견우실업으로 가고 있다.

—거기서 끝나면 동해 수산시장 93번 점포로 가라. 거기서 생선 다섯 상자를 배송하라.

—어느 방면인가.

—세 상자는 북두로 쪽이고 두 상자는 칠성로 쪽이다.

—방향이 안 맞는다.

—세 상자는 북두로 쪽으로 배송하고 두 상자는 3번 오

와 접선해서 도중에 인계하라.

마차세는 수산시장에 가서 10킬로그램짜리 생선 상자 다섯 개를 뒷자리에 실었다. 기업체에서 거래처에 보내는 선물이었다. 북두로에는 교차로가 많았다. 푸른 신호가 살아 있는 몇 초 동안, 마차세는 액셀을 당겨서 네거리를 건너갔고, 자동차들 사이를 비집고 나갔다. 컨테이너를 실은 8톤 트럭이 배기가스를 품어낼 때 마차세는 숨이 막혀서 시야가 흐려졌고, 액셀을 당겨서 트럭을 앞질렀다. 3번 오는 다섯 번째 교차로에서 인도 쪽에 오토바이를 세우고 기다리고 있었다. 마차세는 생선 두 상자를 3번 오에 넘겨주었다. 3번 오는 좌회전해서 이면 도로로 들어갔고, 마차세는 다시 북두로를 따라서 달렸다. 자동차들은 작은 기호로 바뀌어서 앞차의 백미러 속으로 들어갔고, 앞차는 그 앞차의 백미러 속으로 들어갔다. 자동차들은 신호 대기가 풀리면 또 다른 대열로 재편성되어서 좌회전, 우회전으로 흩어졌다. 헬멧 보안경 너머로 거리와 자동차들은 멀어 보였고 맹렬한 현실이 오히려 실물감이 없었다. 벤츠를 앞지르고 링컨 컨티넨탈을 앞지르고 버스, 택시, 트럭을 앞지를 때 헬멧을 쓴 머리통에서 흘러내린 땀이 턱 밑에 고였다. 마차세는 북두로 8구역

자미아파트 단지 안으로 들어와 주차장에 오토바이를 세웠다. 마차세가 생선 두 상자를 들고 아파트 입구로 들어서자 경비원이 막아섰다. 경비원은 방문록을 내밀었다. 마차세는 소속 회사, 차량 넘버, 주민 번호, 출입 시간, 주소를 쓰고, 경비원에게 주민증을 제시했다.

─이해하시오. 요즘 범죄가 많아서…….

마차세는 아파트 1동 11층, 2동 13층에 생선 상자 한 개씩을 배송하고 주차장으로 내려왔다. 오토바이 뒷자리에 묶어 놓았던 생선 상자 한 개가 보이지 않았다. 마차세는 경비원에게 물었다.

─누가……. 혹시 못 보셨나요?

─못 봤소.

주차장에 행인은 아무도 없었다. 유치원의 노란 차가 아파트 건물 입구에서 아이들을 내려놓았다. 여자들이 제 아이를 데리고 엘리베이터로 올라갔다. 상자를 묶었던 끈이 풀어져 있었고 상자가 있던 자리는 애초부터 상자가 없었던 것처럼 보였다. 아무에게도 물어볼 수 없었다. 마차세는 방면 조장에게 분실 사고를 보고했다. 조장은 말했다.

─신용이 중요하다. 다시 오대양 수산시장 가서 생선 한

상자를 받아서 수취인에게 가져다주라.

　—알았다.

　—신속히 움직이라. 내용물과 가격이 잃어버린 것과 같아야 한다.

　—알았다.

　—배송 중 분실 사고는 근무자 책임이다. 수당에서 제한다.

　—알았다.

　—다시 배송하고 결과 보고하라.

　—알았다.

마차세는 방면 조장의 지시를 이행하고 결과 보고했다. 저녁 8시 30분이었다. 방면 조장은 말했다.

　—마차세, 넌 오늘 허탕 쳤구나. 사규가 그렇게 되어 있어서 어쩔 수 없다.

　—알고 있습니다.

　—그래서 한 건 더 줄게. 쉬운 거야. 이건 배송료를 너 다 가져. 보너스다.

방면 조장은 백합아파트 14동 301호에 가서 물건을 한 개 받아서 그 근처 코스모폴리탄호텔 911호실로 가져다주라고 지시했다. 아파트에서는 장년 남자가 작은 알약 한 개를 종이에 싸서 내밀었다.

―이걸 빨리 코스모폴리탄호텔로 가져다주시오. 급하다
고 난리를 쳐대니…….

마차세는 알약을 주머니에 넣고 오토바이를 달렸다. 호텔
방 도어가 반쯤 열리고 가운 차림의 남자가 나타났다. 그 안
쪽으로 속옷 차림으로 침대에 걸터앉은 여자가 보였다. 남
자가 알약을 받으면서 말했다.

―빨리 오셨구려. 고맙소.

남자는 천 원짜리 세 장을 내밀었다. 마차세는 밤 10시에
귀가했다.

어머니

마동수가 죽은 후에 이도순의 몸은 빠르게 무너졌다. 오래된 관절염에 불면증과 치매 증세가 깊어졌다. 마동수가 죽자 이도순의 병은 둑방이 터져서 물이 쏟아지듯이 제 갈 길로 흘러갔다. 이도순은 마동수가 죽어서 원한의 대상이 없어졌으므로 자신의 생명도 머지않아 소진될 것이라고 예감했다. 그 '머지않아'가 언제쯤일는지는 알 수 없었다.

둘째 아들의 결혼식을 보고 나서, 이도순은 에인젤 요양원에 입소했다. 마차세는 신혼 방에서 어머니를 모실 수는 없었다. 에인젤 요양원은 서울 도봉구 북서동의 숲 속에 있었다. 일본 군대가 지은 병원 건물을 광복 직후에 시청에서 인수해서 요양원을 차렸는데, 시청은 요양원 사업을 민간에게 넘기기로 하고 예산을 줄였다. 건물 외벽에 벽돌이 빠져나간 자리를 시멘트로 메꾸었고, 문짝들이 뒤틀려서 비거덕거렸다.

이도순의 병은 빠르게 진행되면서도 종말에 이르지는 않았다. 이도순은 기억을 거의 상실해 갔는데, 생애의 가장 고통스런 대목들만을 챙겨서, 더욱 선명히 기억하고 있었다. 망각의 시간들 사이사이에 기억이 되살아났고, 그때마다 이도순은 연극배우처럼 과거를 재현해 냈다. 마음의 먼 변방에서 흐린 호롱불로 가물거리던 기억들이 의식의 표면 위로 떠올랐고, 이도순은 몸의 동작으로 그 기억들을 되살렸다. 기억이 되살아나서 몸으로 드러날 때, 이도순은 다리의 통증을 잊어버리는지 방 안을 걸어서 돌아다녔다. 이도순의 기억상실은 잊혀지지 않는 많은 것들 중에서 가장 잊고 싶은 것들만을 되살려내는 기억 회생의 병증인 것처럼 보였다.

눈이 내리는 날에는 오토바이의 주행거리가 짧아져서 배달 횟수는 15건 정도였다.

눈이 내리던 날 저녁에 마차세는 강남구 태극로 맨 끝에서 하루의 작업을 끝냈다. 자동차 타이어에 밟힌 눈은 도심의 매연에 섞여서 까맣게 더럽혀졌다. 까만 눈이 녹아서 질 퍽거렸고 마차세의 장화에 까만 얼음이 엉겨 붙었다.

태극로 끝에서 마차세는 설렁탕으로 저녁을 먹었다. 식당 맞은편 아파트 유리창에 저녁이 왔다. 젊은 여자가 베란다에 널어놓은 빨래를 거두어들였고, 창가에서 이부자리를 털었다. 사람들이 귀가한 집마다 유리창에 하나둘씩 불이 켜졌다. 머리카락이 긴 여자가 유리창에 비쳤고 단발머리 아이도 비쳤다. 창가에 내놓은 화분의 넝쿨이 줄을 타고 올라가고 있었다. 설렁탕 국물은 느끼했다. 마차세는 국물을 넘기면서 불이 켜지는 아파트 유리창을 한 칸씩 바라보았다. 그때 문득, 어머니가 요양원에서 죽었을지도 모른다는 생각이 들었다. 아파트 유리창에 비친 남들의 저녁 일상이 어째서 어머니의 죽음을 연상시키는 것인지는 알 수 없었지만, 조바심은 강력하고 다급해서 거역할 수 없었다. 마차세는 공중전화 부스에 들어가 박상희에게 전화를 걸었다. 박상희는 귀가해 있었다.

―나 지금, 어머니 계신 요양원에 다녀올게.

―갑자기 왜? 어머니한테 무슨 일 있어?

—아냐, 그냥.

—그냥? 거기 어딘데?

—태극로 끝이야. 일은 끝났어.

—거기서 그 먼 데를 다녀온다고? 무슨 연락이 왔어?

—아냐. 그런 건 아냐.

—내일 가면 안 돼?

—지금 가야겠어.

—오토바이로 가는 거야?

—그래.

—조심해서 다녀와. 갔다 와서 얘기해 줘.

마차세는 남부 순환 도로를 따라서 서울 외곽을 달렸다. 강을 건너서, 도로는 서울의 북쪽 지역으로 이어졌다. 날이 저물면서 녹은 눈이 다시 얼어붙고 그 위에 또 눈이 내렸다. 마른 눈발이 헬멧 보안경에 부딪혀서 흩어졌다. 마차세는 오토바이 뒷바퀴에 체인을 감고 속도를 줄였다. 도심을 벗어나자 자동차들이 줄어들고 흰 길바닥이 드러났다. 밤에 오토바이를 몰고 달릴 때 마차세는 자신이 이 인연 없는 세상에서 오직 혼자뿐이라는 적막감에서 벗어날 수 없었다. 그 느낌으로 마차세는 액셀과 브레이크를 조심스럽게 당겼

고 바퀴를 통해서 온몸에 와 닿는 길바닥의 감촉을 읽어냈
다. 그리고 그 적막감이 조바심으로 바뀌어서 눈 오는 밤에
갑자기 어머니에게로 자신을 내몰고 있는 것이지 싶었다.

가로등이 끝나는 언덕 위로 눈 덮인 숲이 보였다. 에인젤
요양원은 그 숲 속에 있었다. 이층 벽돌 건물 현관에 외등이
켜져 있었다. 불빛 속에서 눈발이 흩날렸다. 경비원은 가끔
씩 면회 오는 마차세의 얼굴을 알아보았다.

—이 눈길에 오토바이로 오셨네요.

마차세는 경비원의 태도를 보고 어머니가 죽지 않았음을
알았다. 이도순의 방은 일층 복도 맨 끝 쪽이었다. 복도는 어
두웠고, 어긋난 창문 틈새로 눈이 들이쳤다. 문패에 '109호
이도순. 여. CXP'라고 적혀 있었다. CXP는 요양원 직원들의
환자 분류 기호로, 중증 치매로 기억상실이 진행 중이라는
뜻이었다. 마차세가 문을 열고 들어갔을 때 이도순은 천장
을 바라보며 누워 있다가 문이 열리는 소리에 몸을 돌렸다.
말라서 바스라질 듯한 몸매에 눈빛이 날카로웠다.

—어머니, 저 왔습니다.

—장세냐?

—차셉니다.

이도순이 머리를 들었다. 마차세가 어머니의 상반신을 부축해서 침대에 앉혔다. 마차세는 어머니의 머리카락을 두 손으로 쓸어서 목뒤로 넘겼다.

—장세는 죽었니?

—장세는 괌에 있어요, 어머니.

—니 애비는 어딨니?

이도순은 3년 전에 죽은 남편의 안부를 물었다. 마차세는 대답하지 못했다. 창밖에 눈발이 굵어지고 있었다. 병실의 전화벨이 울렸다. 박상희였다.

—아직 병실이야?

—그래, 좀 전에 도착했어.

—어머니는 어떠셔?

—그저 그만해.

—그럼 빨리 와. 눈이 쌓이고 있어.

—알았어. 끊어.

마차세는 한 달이나 두 달에 한 번씩 어머니를 면회 왔다. 마차세는 거리에서 일하다가, 가스레인지의 불을 켜놓고 나온 사람이 화들짝 놀라서 집으로 달려가듯이, 갑자기 어머니의 병실로 달려가곤 했다. 이도순은 잠들어 있을 때도 있었고, 망각된 기억의 핵심부를 살려내기도 했고, 지치면 혼자서 울었다. 마른 울음소리가 목구멍에 걸렸고 눈물은 나오지 않았다.

싸락눈이 함박눈으로 바뀌면서 창밖에 눈 쌓이는 소리가 스쳤다.

—길녀야 길녀야, 어딨니? 길녀야…….

이도순이 비척거리면서 서랍을 열어보고 화장실 안을 기웃거렸다. 이도순은 흥남부두에서 잃어버린 젖먹이 딸을 찾고 있었다. 길녀야 어딨니……. 이도순은 커튼 뒤쪽을 들여다보았다. 마차세는 어머니를 말리지 못했다. 그 아이의 이름이 길녀였구나……. 어머니는 어째서 한평생 입 밖에 낸 적이 없는 그 이름을 말년의 암흑 속에서 기억해 내는 것일까. 어머니의 치매는 망각된 고통의 기억을 극사실적으로 재생시키고 있었다. 길녀는 여자 이름이니까, 길녀가 살았으면 내 누나였겠구나……. 마차세는 길녀가 어머니의 치매 속으로 살아 돌아오지 않기를 빌었다. 이도순은 침대 밑을 들여다보았다. 마차세는 고개를 돌렸다.

이도순이 무슨 생각이 들었는지 베개를 바닥에 동댕이치

더니 마차세를 노려보았다.

—니가 차세지? 내가 널 떼러 갔다가 못 떼구 왔어.

라면서 이도순은 가랑이를 벌려서 아이를 긁어내는 시늉을 했다.

—그때 의사가 없었어.

이도순은 그 겨울날 저녁의 산부인과를 자세히 주절거렸다.

— 창밖으로 여편네들이 시장 다녀오는 걸 보고 널 낳고 싶어졌어.

이도순은 머리를 흔들며 울었다. 마차세가 어머니의 머리를 안았다. 작고 따스한 머리였다. 정수리에서 핏줄이 팔딱거렸다.

이도순은 마차세가 짐작할 수 없는 동작을 하면서 뭐라고 혼자서 주절거렸다. 두 팔로 빨래를 잡고 비트는 시늉을 했고, 두 손으로 머리를 가리며 매를 피하려는 동작을 했다. 마차세는 그 동작이, 자신이 알지 못하는 어머니의 고통일 것이라고 생각했다. 마차세는 어머니의 생명 속을 느리게 흘러가는 시간을 생각했다. 시간은 이도순의 생명을 가지고 놀면서 조금씩 뜯어가고 있었다. 마차세는 아무런 할 말이 없었다. 마차세는 주술사처럼 망각 속의 기억을 소생시키는 어머니의 일인극을 바라보다가 외면했다. 이도순의 일인극은 30분 이상 계속되지 못했다. 이도순은 지쳐서 제풀에 주저앉았다. 일인극이 끝나면 이도순은 정신이 돌아왔다. 이도순은 제 손으로 수면제를 찾아 먹고 잠들었다. 잠든 얼굴은 더 작아 보였다. 땀에 젖은 목덜미에 흰 머리카락이 붙어 있었다. 무슨 꿈을 꾸는지 얼굴에 경련이 일었다. 마차세는 손으로 어머니의 얼굴을 쓰다듬어주었다. 당직 직원이 병실에 들어와서 보호자의 퇴실 시간이 지났다고 말했다. 눈 덮인 거리는 비어 있었다. 마차세는 한 시간을 오토바이로 달려서 귀가했다. 박상희가 시금치 된장국을 데워 주었다.

—어머니는 어땠어?

—그저 그래. 잠든 거 보고 왔어.

—어머니보다 당신이 더 가엾어.

박상희는 더 이상 묻지 않았다.

덫

오장춘이 현역병 시절에 군용 연료를 횡령한 범죄 사건에
서 벗어나는 데는 5년이 걸렸다. 군 헌병대가 수사를 시작
하기 두 달 전에 오장춘은 제대해서 민간인 신분이 되었다.
사건은 군 헌병대에서 검찰로, 검찰에서 경찰로 이첩되었다.
경찰은 군 수사기관의 뒤치다꺼리에 불과한 사건을 심드렁
하게 여겼다. 관할 경찰서 형사가 오장춘을 한 번 불러서 신
문했다. 오장춘은 혐의를 부인했다. 나는 상급자가 지시한
대로 연료 지급 전표를 작성해서 운전병들에게 발부했다,
운전병들이 그 전표로 연료를 받아서 얼마를 팔아먹었는지
는 운전병에게 물어보라, 운전병들과 주유소 근무자들 사이

의 거래 내용을 나는 모른다, 라고 오장춘은 진술했다. 그때의 운전병들과 주유소 근무 사병들도 모두 제대해서 소재를 파악하려면 전국을 뒤져야 할 판이었다. 오장춘의 상급자들은 현역으로 구속되어서 군 형무소에 수감되어 있었는데, 경찰이 그 재소자들과 오장춘을 대질하기도 쉬운 일이 아니었다. 형사는 당시의 병영 상황에 대해서 아무런 정보가 없었다. 형사는 오장춘이 진술하는 대로 받아 적었다. 오장춘은 한 차례 신문을 받고 귀가 조치되었다. 오장춘은 구속된 장교의 친형의 소개로 변호사를 찾아갔다. 늙은 변호사는

—별것 아냐. 이런 건 따지지 말고 뭉개야 해. 억지로 뭉개지 말고 저절로 뭉개지도록 해야지.

라고 말했다. 오장춘은 그 후 월세방을 세 번 옮겼고, 주민등록지를 연고 없는 번지로 세 번 옮겼다. 경찰은 오장춘을 소재 불명의 이유로 수사를 중지했다. 경찰에게는 너절한 사건이었다.

취조를 받다가 점심시간이 돼서 자장면을 배달시켜서 형사와 마주 앉아 먹고 있을 때 자장면 냄새 속에서 고등학교 시절에 훔쳐 먹던 도시락의 반찬, 콩자반, 어묵볶음, 오징어

볶음의 맛이 생각났다. 연상의 고리는 맛에서 맛으로, 10년을 건너갔다. 그 도둑질이 발각돼서 담임교사한테 얼굴을 회초리로 맞던 날도 생각났다. 그때 오장춘의 얼굴에 가로 세로로 줄무늬가 그려졌지만, 오장춘은 내 밥과 남의 밥 사이에 매가 있다는 사실을 이해하기 어려웠다. 그때 학교는 치사하고 야비했다.

군대가 기동훈련할 때, 탱크, 장갑차, 트럭, 지프가 수백 대씩 출동해서 하루 종일 고지를 넘어가고 평야를 건너가면, 연료는 연기가 되어서 방귀처럼 허공으로 흩어지는데, 그 연료의 몇 방울을 팔아서 야식을 사 먹고 PX의 외상값을 갚고, 휴가 가는 전우에게 용돈을 준다고 해서 그것을 죄라고 할 수는 없을 것이었다. 오장춘은 취조받을 때 목구멍을 넘어오려는 그 말을 겨우 눌렀는데, 경찰서를 나오면서 참기를 잘했다고 생각했다.

경찰 수사가 시들해졌을 때 오장춘은 서울 외곽에서 고물 중개업을 시작했다. 오장춘은 직원 세 명을 고용해서 아파트 단지나 주상복합건물 쓰레기장에서 폐지를 수집해서 박스 만드는 공장에 팔았다. 새것을 만들어서 팔기보다는 헌것을 모아서 새것 만드는 공장에 파는 것이 훨씬 더 밥을 먹기가 쉬웠다. 기술이나 자본이 필요 없었다. 많은 부분을 몸으로 때우는 일이라서 위험부담이 덜했고 수익은 소규모였지만 안정적이었다. 오장춘은 1년 후에 트럭 두 대를 리스 해서 전국의 폐차장을 돌면서 폐타이어를 수집했다. 폐타이어는 군대에 진지 공사용 자재나 시청, 군청에 모래막이, 물막이 공사용으로 납품되었다. 폐타이어는 마진 폭이 컸고, 썩거나 파손되지 않아서 운송이 편했고, 야적해도 피해가 없어서 보관 비용이 덜 들었다. 새것과 헌것, 폐기물과 원자재가 꼬리를 물고 순환하면서 이윤이 발생했다. 시멘트 생산 회사에 폐타이어를 원자재로 납품할 길이 열리면서부터 사업은 커졌고, 오장춘은 '장춘자원'이라는 법인명으로 회사를 등록했다. 이듬해 동남아 쪽으로 사업이 확장되면서 오장춘은 상호를 '장춘무역'으로 바꾸었다. 오장춘은 대표이사 사장에 취임했다. 장춘무역은 서울 북부 외곽에 5층짜리 임대 사옥을 장만했고 전국의 항만 가까운 면 단위 지역 15개소에 임야를 사들여서 야적장을 확보했다. 장춘무역은 직원이 70명이었고 그중 20명은 토익 고득점자였다. 오장춘은 자신의 비서가 자금부 차장을 겸직하도록 지휘 라인을 조직했다. 자금부장은 경리 업무만을 감독했고, 자금의 출납 계획이나 소요 예측, 융자와 상환 업무는 모두 비서를 겸하는 자금부 차장이 관장해 사장에게 보고했다. 오장춘은 힘들이지 않고 회사 자금의 흐름을 크로스 체크했다. 나의 것과 남의 것을 구분하지 못하고, 그러한 구분을 치사하다고 생각하는 직원들이 있을까 봐 오장춘은 두려웠다. 오장춘의 관리 정책은 성공적이었다.

오장춘은 김오팔을 통해서 마장세와 선이 닿았다. 김오팔은 오장춘의 회사에 고철을 납품하고 있었는데, 거래 물량은 많지 않았으나 납기를 어기지 않았고, 불량품이 없었다. 오장춘은 지불기일을 어기지 않았고, 결제에 어음을 쓰지 않았다. 소액 거래였지만 신용은 좋았다. 오장춘은 김오팔이 친동생 김정팔의 무공훈장 덕으로 신용이나 배경이 없이 업계에 무난히 진입했다는 것도 알고 있었다.

베트남에서 죽은 내 동생 정팔이의 선임이고, 마지막 전투에 같이 나갔던 사람이라고 김오팔은 오장춘에게 마장세를 소개했다. 괌에 본사를 두고 남태평양의 여러 섬들을 상대로 관광업, 레저업, 폐기물 무역업을 하는 업자인데 만나보면 피차의 사업에 유익한 인연이 될 것이라고 김오팔은 말했다.

추석이 임박해서, 오장춘은 회사 사장실에서 마장세를 만났다. 회사의 품격을 돋보이게 하느라고 30호짜리 동양산수화 복제품 두 점을 응접실에 걸었다. 마장세는 며칠 전에 서울에 들어와서 낮에는 호텔에서 자고 밤에는 거래선을 불러내 술과 여자를 대접했다. 둘이 만나는 자리에 김오팔은 배석하지 않았다. 마장세는 괌에서 가져온 위스키 한 병과 명함을 내밀었고 오장춘은 합죽선 한 쌍을 선물로 내놓았다.

— 일찍부터 괌에 자리 잡으셨다고 들었습니다.

— 어쩌다 그렇게 됐습니다.

마장세가 확보한 사업망은 오장춘에게 장기적으로 유망했다. 남태평양의 여러 섬에 흩어진 폐자동차들의 철강재와 폐타이어를 한국으로 가져와서 자원화하는 사업이라면, 오장춘은 마장세와 좋은 파트너가 될 수 있다고 판단했다. 배를 멀리 움직이자면 용선료 부담이 커질 터인데, 물량이 많다면 해결할 수 있을 것이었다. 마장세의 설명대로라면, 철강재와 폐타이어를 동시에 수집하고 수송할 수 있을 것이므로 거기에서 발생하는 수익은 적지 않을 것이었다.

마장세로서는 한국의 중고차를 싸게 사서 섬의 원주민들에게 비싸게 팔고, 자동차가 해안에 버려지면 섬의 지방정부로부터 환경 정화 용역비를 받아서 폐차를 수집하고, 그 철강재와 폐타이어를 다시 한국으로 싣고 와서 파는 사업이었다.

용도 폐기된 물건들이 여러 유통 단계를 거치면서 새로운 가치를 지닌 재화로 부활되면서 이윤이 발생하리라는 전망은 예측 가능했다. 현지의 선박 사정과 여러 섬에 흩어져 있는 물량이 어느 정도인지는 현장 답사가 필요한 일이었다.

오장춘이 말했다.

—전망이 서는군요. 장기 계획으로 추진해 봅시다.

마장세가 말을 받았다.

—좋은 인연이 되기를 바랍니다. 양쪽이 짝 들어맞는 느낌입니다.

—양쪽 업무가 한 벨트로 연결되는 것 같아서 회사를 합쳐도 좋겠다는 생각이 드는군요.

—하하, 뭘 그렇게까지야…….

둘은 마주 보면서 과장되게 큰 웃음을 웃었다. 오장춘은 마장세를 어디서 본 듯했는데 기억이 나지 않았다. 기억이

나지 않았지만, 분명히 기억 속에 있는 모습이었다. 오장춘은 테이블에 놓인 마장세의 명함을 들여다보면서 눈을 가늘게 떴다.

─사장님 성함이 한자로는 맏 장(長) 인간 세(世)입니까?

─그렇습니다. 장남이란 뜻이지요.

오장춘의 기억 속에 불꽃이 일면서 마차세가 떠올랐다.

─남동생이 있으시오?

마장세가 멈칫했다.

─있소만.

─동생분 이름이 차세겠네. 둘째 차(次) 인간 세(世). 맞아요?

─아니, 그걸 어찌 아시오?

─그냥 짐작이오만, 내가 현역 시절에 동부전선 GOP 부대에 근무했는데 그때 마차세라는 사병이 있었지요. 군번은 나보다 두 달 아래였지. 마 사장님이 그 사람과 너무 닮아서 아까부터 긴가민가했었소.

─그게 아마 내 동생일게요. 이름은 마차세고, 동부전선에 근무했으니까. 연도도 맞구먼.

오장춘이 손가락을 튕겨서 딱 소리를 냈다.

—이거 인연이 겹치는구먼.

왜 이런 데서 마차세가 튀어나오는 것인가. 마장세는 오
장춘의 얼굴을 찬찬히 뜯어보았다. 작고 쏘는 듯한 눈이 분
주히 깜박거리면서 무언가를 헤아리고 있었다. 무슨 일에
나 손해 볼 사람은 아니지 싶었다. 이자가 나와 마차세 사
이에 올가미를 놓아서, 내가 버린 끈의 저쪽을 끌어당기게
되는 것이 아닐까. 군대 시절에 이자와 마차세 사이에는 대
체 어떤 일이 있었던 것인가. 마장세는 물었다.

—군에서 차세랑 친했었소?

—근무처는 달랐는데, 대학 다니다 온 사람이 몇 안 돼서
가깝게 지냈소. 외출 때 술도 같이 마셨고, 차세가 휴가 갈
때 내가 용돈도 좀 줬소. 그 친구, 정기 휴가 가서 부친상을
치렀지.

마차세가 튀어나오더니 아버지까지 끌려 나오는 이 고리
가 바로 인연의 덫이라고 마장세는 생각했다. 마장세는 창
밖을 내다보며 담배에 불을 붙여서 연기를 깊이 마시고 길
게 토했다. 세 모금에 담배 한 대가 끝나가고 있었다. 오장춘
이 말했다.

—동생은 뭘 하시오?

―제대하고 바로 장가들었는데 직장에서 잘렸소. 밥 번다
고 뭘 하긴 하는 모양인데 시원치 않은 것 같고, 처 덕에 먹
고 있을 거요.

　오장춘이 마장세를 보았다.

　―동생을 나한테 한번 보내시오. 면접 한번 봅시다.

　마장세는 덫 줄이 점점 더 조여오는 것을 느꼈다.

편지

동부 순환 도로는 9월의 폭양 속으로 뻗어 있었다. 복사
열에 자동차들이 흔들려 보였다. 자동차들은 기화(氣化)하
는 환영처럼 흐느적거렸지만, 완강하게 땅에 들러붙어 있었
다. 뜨거운 자동차들이 수천 개의 불덩어리가 되어서 도로
위로 흘러갔다. 교차로에서 자동차들은 대기했고 좌회전,
우회전, 유턴했고 다시 대기했다. 도로에서 폭양을 피할 자
리는 없었다.

낮 기온이 32도가 넘으면서 아스팔트가 녹았다. 녹은 아
스팔트가 물컹거려서 오토바이 동력이 지하로 빨려 들어갔
고 액셀을 당기면 뒷바퀴는 땅바닥에 결박되고 앞바퀴는

처들렸다. 뒷바퀴가 빠질 때 앞바퀴는 뒷바퀴를 버리고 혼자 나가려고 부르릉거렸고, 뒷바퀴는 앞바퀴를 붙들고 놓아주지 않았는데, 앞바퀴가 빠진 자리에 뒷바퀴는 기어이 따라와서 빠졌다. 회사는 배송원들에게 녹아서 끈적거리는 도로에 주의하라는 업무 지침을 내렸다. 녹은 구간인지 아닌지는 멀리서 육안으로 식별할 수 없었고 바퀴로 밟아서 빠진 다음에야 알 수 있었다. 앞차의 바퀴가 밟고 나간 자리는 끈끈했다. 그 자리를 피하려 해도 피해서 비켜 디딜 자리는 없었다.

마차세는 10킬로그램짜리 짐 세 개를 뒷자리에 싣고 동부 순환 도로를 달렸다. 컨테이너를 실은 12톤 트럭이 줄을 이어서 항구 쪽으로 달려갔다. 트럭이 밟고 간 자리는 녹은 아스팔트가 뭉개져 있었다. 마차세는 트럭의 바퀴 자국을 피해서 오토바이를 몰았다. 다른 오토바이들이 마차세의 바퀴 자국을 피해서 따라오다가 교차로에서 흩어졌다. 헬멧 안에서 땀이 흘러내려 턱 밑에 고였다. 땀에서 누린내가 났다.

동부로5가에서 마차세는 차로 변에 오토바이를 세우고 빌딩 안으로 들어갔다. 5층에 상자 한 개를 배달하고 나왔더니 오토바이에 주차 위반 계고장이 붙어 있었다. 계고장에 벌금 액수와 납부 마감일이 적혀 있었다. 교통 위반 범칙금은 배송자 부담이었다. 마차세는 가게에서 아이스크림을 사서 길가 의자에 앉았다. 아이스크림이 끈끈해서 목이 말랐다. 마차세는 물병을 기울여 물을 마셨다. 짐 두 개가 더 남아 있었다. 범칙금을 내면 오늘의 일당은 반 토막이 날 것이었다.

사무실 전화가 울렸다. 방면 조장이 야간작업을 지시하면 받아들여서 범칙금을 벌어야겠다고 생각하면서 마차세는 전화를 받았다. 마장세였다.

—야, 너 아직 오토바이 타냐?

마장세의 목소리는 사실 여부를 묻고 있지 않고, 오토바이를 비하하고 있었다. 마차세는 목소리를 낮게 깔아서 대답했다.

—그래, 지금 타고 있어.

—그거, 밥 먹냐?

어디서 사고가 났는지, 앰뷸런스가 사이렌을 울리며 달려갔다. 마차세는 말했다.

—형, 지금 내 밥걱정 해주는 거야?

―야, 니가 밥을 먹어야 내 맘이 편할 거 아니냐. 마누라 덕에 사는 것도 습관 되면 헤어나지 못한다.

―형, 근데 갑자기 웬일이야?

마장세가 잠시 머뭇거렸다.

―야, 너 오장춘이라고 알지? 현역병 때 너하고 같은 부대에 있었다던데.

제대한 뒤로 오장춘은 소식이 없었다. 마차세는 휴가 갈 때 오장춘이 찔러준 용돈이 군용 연료를 빼돌려서 탄 돈이라는 걸 나중에 알았다. 아무도 말해 준 적이 없고 들은 것도 없었지만, 그의 보직이 대대본부 보급계 연료 담당이라는 것만으로도 그 혐의는 성립되고 있었다. 오장춘은 취사반 쓰레기통 속의 밥찌꺼기를 부대 앞 민가에 개 먹이로 가져다주고, 그 개를 잡아서 부대원들을 데리고 회식을 했었다. 오장춘의 눈동자는 쉴 새 없이 깜박이면서 주변을 경계하고 있었다.

마장세가 다그쳤다.

―오장춘을 아냐구?

―그래. 안다기보다는, 기억이 나네.

―야, 설명할게 들어봐. 내가 오장춘하고 사업상 거래 관

계로 만났는데 니 얘기를 하더라. 나하고는 좋은 파트너가
될 거 같아. 니가 내 동생이라니까 오장춘이 널 한번 면접
보고 싶다고 하더라. 한번 찾아가봐. 너에 대해서, 좋은 인
상을 가지고 있더라.

　—면접이라구?

　—야, 가서 취직을 하란 말야. 너 언제까지 거기서 오토바
이 탈 거야.

　—형이 웬일로 내 걱정을 다 해주네.

　—니 걱정을 하기 싫어서 내가 이러는 거야. 알겠냐. 니가
거기서 사니까…….

　라고 말할 때 전화가 끊어졌다. '거기서'는 한국을 말하는
단어인데, 무슨 말을 하려다 그만둔 것인지는 알 수 없었다.
서울과 한국을 '거기'라고 말하는 것이 마장세의 버릇이었
다. 마차세는 형의 그 버릇을 오래전에 눈치채고 있었다. 마
차세의 여기가 마장세의 거기였다.

　다시 전화벨이 울렸다. 마장세가 오장춘의 회사 주소와
전화번호를 알려왔다. "꾸물거리지 말고 빨리 가봐"라고 전
화의 말미에 덧붙였다.

마차세는 남은 짐 두 개를 싣고 동부 순환 도로의 서쪽 끝까지 오토바이를 달렸다. 거기서 팀장과 통화하고, 다시 야간 배송 한 건을 맡았다. 야간 배송 수당에 2~3천 원을 보태면 교통 범칙금을 낼 수 있었다. 해가 진 뒤에도 녹은 아스팔트는 질퍽거렸고 오토바이 뒷바퀴의 동력이 땅 밑으로 스몄다. 마차세는 저녁 9시에 귀가했다.

　언니, 언니라고 부르니까 쑥스럽군요. 저는 마차세의 처 박상희입니다. 멀리서 편지로 인사드립니다. 마장세 님이 제 남편의 형님이시니까, 저도 언니를 그냥 언니라고 부르겠습니다. 시간이 좀 지나면 편안해지겠지요. 저희들의 결혼식장에서 마장세 님을 처음 뵈었습니다. 같은 부모에게서 태어난 두 사람의 생명의 느낌이 그처럼 닮을 수 있다는 운명에 두려운 생각이 들었습니다. 그런 인연의 한 자락에 언니와 제가 또 엮여서 동서지간이 되었고, 마장세 님은 저의 시아주버님이 되셨겠지요. 언니 반가워요. 결혼식 날은 저의 시어머니가 많이 우셔서 제가 몹시 당황했고 처음 뵙는 마장세 님께 인사도 제대로 못 올렸습니다.
　마장세 님은 일찍부터 괌에서 자리 잡으셨다고 들었습니

다. 한국에 자주 오시지 않고, 오시더라도 가족들에게 연락하기를 힘들어하시는데, 거기에는 깊은 사연이 있을 것이라고, 저의 남편이 말했습니다. 저의 남편은 그 사연이 무엇인지 알고는 있지만, 정확히 말할 수는 없는 듯합니다. 제가 결혼한 직후에 돌아가신 시아버지가 젊었을 때 찍은 사진(아마도 만주나 상해 시절 때 찍은 사진인 듯합니다)을 우연히 봤는데, 그 모습이 그때 태어나지 않은 두 아들과 똑같았습니다. 눈동자의 초점이 아주 먼 곳을 향해 있었지요. 그 사진을 보면서 저는 아버지와 두 아들이 모두 가엾어서 눈물겨웠습니다. 아마 저의 시아주버니 마장세 님이 한국을 힘들어하시는 까닭도 그런 가엾음에 바탕한 것이라고 저는 그 사진을 보면서 생각했습니다. 그런 바탕이 있다면 마장세 님도 한국을 힘들어하지 않게 되는 날이 반드시 있을 것이라고 저는 생각했습니다. 제가 시아주버님의 마음속을 짐작해서 말하는 것은 무례한 일일 테지만, 저의 진심을 말하는 것입니다. 마장세 님께 이 편지를 보여주셔도 저는 좋습니다.

저의 남편은 다니던 직장이 문을 닫아서 지금은 임시로 부업 같은 일(자세히는 말하지 않겠습니다)을 하면서 다른 직장을 찾고 있습니다. 저는 미술대학을 나와서 아직 개인전을 하지 못했고 지금은 미술과 관계되는 파트타임 일을 하고 있습니다.

　남태평양의 섬들은 광선이 강렬해서 꽃들이 원색으로 피어난다고 들었습니다. 언니가 계신 섬에 한번 가고 싶어요. 언니와 내가, 비슷하게 생긴 남자와 살고 있다는 생각을 하니까 돌아가신 시아버지 사진이 떠오르는군요. 언니, 안녕히 계세요. 뵐 날을 기다리며.

박상희 드림

　―읽어봐. 당신 형수한테 보낼 편지야.

　박상희가 볼펜으로 쓴 편지를 마차세에게 내밀었다. 편지를 읽는 마차세의 얼굴에 내리는 그늘을 박상희는 느꼈다.

　―어때, 괜찮아?

　―글쎄. 글이 어렵군. 아버지 사진을 보니까 우리 세 부자가 닮아서 불편했다고?

　―그래. 잘 전달이 안 될 것 같지만 할 수 없어. 달리는 표현이 안 돼.

　―다 이해받을 수는 없겠지.

─당신, 형수 이름 알아?

─몰라. 한 번도 듣지 못했어.

─그럼 어떻게 부치지?

─형 앞으로 보내. 형도 봐야 할 편지니까.

샤워를 마친 박상희의 머리카락에서 풀 냄새가 났다. 박상희는 마차세의 머리카락에서 거리의 햇볕 냄새를 맡았다. 마차세가 낮에 있었던 일을 말했다. 교통 범칙금 계고장을 받은 일과 형에게서 받은 전화의 내용이었다.

─마침, 야근이 생겨서 벌금은 벌었어.

박상희가 마차세의 머리카락에 손가락을 넣고 쓰다듬었다.

─더웠겠네. 오늘 형님은 뭐래?

─취직자리를 소개해 주더군.

마차세는 오장춘과 관련된 일들을 박상희에게 말해 주었다.

─그 회사에 가볼까?

박상희는 한참 후에 대답했다.

─그게 좋겠어. 형님하고 다시 얽혀서 사는 게 좋잖아. 내가 당신 형수한테 편지 쓴 날 당신 형님한테 전화가 오니까 신기해.

마차세는, 당신 편지에서 아버지 사진 얘기는 빼는 게 좋겠다, 라고 말하려다가 그만두었다. 아버지 사진이 왜 불편한지를 마차세는 잘 설명할 수 없었다.

형제

배송 작업을 마친 저녁에 마차세는 '장춘무역'을 찾아갔
다. 마차세는 빌딩 지하 주차장에 오토바이를 세우고 1층
로비로 올라갔다. 마차세는 장화를 신고 헬멧을 들고 있었
다. 경비원이 배달 물건이 있으면 맡기고 가라고 말했다. 사
장실을 물었더니 경비원은 마차세를 위아래로 훑어보고 나
서 비서실로 전화를 했다.

마차세가 사장실 안으로 들어섰을 때 오장춘은 국제전화
로 작업 지시를 하면서 마차세를 향해 손짓으로 인사를 보
냈다. 마차세가 반말을 해야 하는지 머뭇거릴 때 오장춘이
먼저 말을 내렸다.

―제대한 후 처음 보네. 넌 모습이 여전하구나.

오장춘의 눈은 쉴 새 없이 깜빡이며 주변을 경계하고 있었다. 오장춘의 눈을 쳐다보면서 마차세는 사람은 변하기 어렵다는 걸 알았다.

―너네 형 마장세 씨한테서 니 얘기를 들었어.

―형이 뭐라던데?

―니가 회사에서 해고돼서 어렵게 되었다고 그러더군. 자세한 얘기는 안 했어.

―난 오토바이로 배송 일 하고 있어.

―어렵겠구나. 더위도 그렇고 추위도 그렇고. 그래서 한번 보자고 한 거야.

오장춘은 회사의 사업 내용을 간단히 소개했고, 앞으로 마장세를 주요 거래처로 삼아서 사업을 키울 계획을 설명했다.

―새 사업은 전망이 좋다. 너네 형이 남태평양 쪽 현장을 잘 장악하고 있더군. 그쪽 물량을 국내 시장과 연결시키면 되는 거지. 너네 형한테도 좋은 사업이 될 거야.

오장춘은 남태평양에서 몰려오는 이윤을 떠올리고 있었다. 마차세는 오토바이용 장화를 신은 자신의 발을 내려다보면서 그 이유의 흐름 저쪽 끝을 쥐고 있는 형을 생각했다. 오장춘이 말했다.

—그래서 난 니가 내 회사에 들어와 있는 게 좋다고 생각해. 너네 형하고의 관계도 있고 해서 말야. 어때?

마차세는 이렇게 해서 형과 얽혀 드는 것인지를 생각하며 머뭇거렸다. 말은 영 딴판으로 나왔다.

—내가 여기서 뭐 할 수 있는 일이 있을까?

오장춘이 말했다.

—내가 고등학교 시절부터 널 잘 알아. 넌 현장에 강해. 여기 토익 성적 좋은 애들도 많은데 개들은 다들 현장을 무서워해. 너처럼 필드를 직접 느끼는 감수성이 필요해. 오토바이 배송은 좋은 경험이 될 거야.

'글쎄……'라고 말하려다가, 말은 또 엉뚱하게 나왔다.

—그런데 우리 형은 어떻게 알게 됐지?

—그게 좀 복잡해. 마장세 씨가 베트남에서 무공훈장을 받았더군. 그 전투에서 전사한 사람의 형이 소개했어. 훈장 덕이지.

형이 무공훈장을 받았다니, 형은 베트남전쟁에서 대체 무슨 공을 세운 것일까. 마차세는 오장춘에게 물어볼 수는 없었다. 마장세는 베트남에서의 일을 말한 적이 없었다. 마차세는 마장세가 빠진 늪 속으로 조금씩 끌려 들어가는 느낌이 들었다. 오장춘이 말했다.

─니가 맘을 정하면, 우선 내근 부서에 서너 달쯤 배치했다가 바로 현장을 맡길 생각이야. 현장은 국내에도 있지만 남태평양 쪽이 더 중요해. 그렇게 되면 형제가 사업상 자주 만날 수도 있겠지.

모르긴 하지만, 무공훈장은 마장세의 마음의 밑바닥에 무거운 장애물로 깔려 있으리라는 생각이 마차세의 마음에 떠올랐다.

오장춘은 마차세에게 양주 한 병을 선물로 주었다.

기별

임신의 기별은 몸속 깊은 곳에서 움트는 이물감이나 어지럼증 같았다. 기별은 멀고 희미했는데, 점차 다가와서 몸 안에 자리 잡았다. 낯선 것이 다가오고 또 자라서 몸 안에 가득 퍼져가는 과정을 박상희는 조용히 들여다보았다. 몸속의 어두운 바다에 새벽의 첫 빛이 번지는 것처럼 단전 아래에서 먼동이 텄다. 고등학교 여름방학 때 놀러 갔던 동해의 아침 바다는 어둠이 물러서는 시간과 공간 안으로 수평선 쪽에서 솟아오르는 빛의 입자들이 퍼졌고, 새로운 시간은 살아 있는 살끼리 서로 부비듯이 다가왔다. 박상희는 스며서 가득 차는 빛들을 떠올렸다. 임신은 몸의 새벽을 열었다. 가끔씩 안개 같은 것이 목구멍을 넘어왔다.

몸속을 덮은 안개 속에서 해독할 수 없는 소리가 들려왔
다. 소리는 수런거리면서 이따금씩 가까이 다가왔다. 아직
발생하지 못한 세포들이 숨 쉬는 소리 같기도 했고, 우주공
간을 날아가는 별들의 소리 같기도 했다. 알아들을 수는 없
었지만, 무어라고 말하고 있었고, 말하고 있었지만 아직 말
이 되어지지 않은 소리였다.

박상희는 공원에서 이젤을 세워놓고 자작나무를 그리다
가 임신의 기별을 받았다. 자작나무 흰 수피의 안쪽에서 흰
색과 검은색이 섞이면서 또 헤어지는 자리를 화폭 위에 붓
질로 그릴 때 그 기별은 왔다. 흐리고도 확실한 느낌이었다.
색들이 서로 겹치면서 또 다른 색으로 전개되듯이 그 느낌
은 내가 아닌 몸에서 나의 몸으로 옮겨 와서 결국은 나의
장기에 활착되었고 나의 몸이 되었다.

박상희는 이젤을 걷어서 집으로 돌아와 소파에 누워서
졸았다. 박상희는 졸면서 몸속에서 수런거리는 소리에 귀를
기울였다. 핏줄 속으로 피가 흐르는 소리, 멀리서 강물이 흐
르는 소리, 밀물이 들어오는 소리, 새벽 숲에서 새들이 날개
치는 소리가 다가오고 있었다. 그 소리에 잠기면서 박상희

는 깊이 잠들었다.

10월에 마차세는 장춘무역에 취직했다. 마차세는 사장 오장춘의 계획대로 우선 관리부에 배속되었다. 마차세가 출근하는 첫날 오장춘은 마차세를 사장실로 불러서 말했다.

— 야, 이제부턴 넌 옛 전우가 아니야. 나한테 존댓말을 써야 해. 그게 조직에도 좋고 너한테도 좋을 거야. 사석에서도 반말을 하지 마. 그게 버릇이 돼야 서로 편하지. 실수도 없고.

마차세는 오장춘의 말이 틀리지 않았다고 생각했다. 마차세는

— 차차 익숙해지겠지 뭐…….

라고 대답했다. 3개월 뒤에는 현장으로 배치할 테니까, 그때까지 내근하면서 회사 업무 전반을 파악하라고 오장춘은 지시했다.

박상희의 출산 예정일은 2월 하순이었다. 박상희는 미술학원 출강을 그만두고 기업체 홍보물을 맡아서 집에서 일했다. 마차세의 월급은 중소기업 수준에서는 적은 편은 아니

었다. 박상희는 출산 후 1년까지는 일을 줄일 계획이었다.

　마차세가 첫 출근 하던 날 저녁에 박상희는 케이크를 사 놓고 남편을 기다렸다. 마차세는 넥타이에 양복을 입고 있었다. 저녁 회식을 마치고 돌아온 마차세에게서 술 냄새가 났다. 마차세는 겉옷을 벗고 넥타이를 맨 채 식탁에 앉았다. 마차세는 넥타이 매듭을 느슨하게 내리고 와이셔츠 목 단추를 풀었다. 박상희가 케이크를 잘라서 마차세 앞으로 내밀었다. 박상희가 마차세 맞은편에 앉으면서 말했다.

　—축하해.

　—뭘? 넥타이 매고 출근하는 걸?

　—아냐. 우리들의 생활을. 생활의 지속을.

　—그래, 고마워. 어쨌든 오토바이 안 타게 된 건 다행이야.

　—나는 오토바이나 넥타이나 아무 차이 없다고 생각해. 그러면서도 당신이 오토바이를 면하게 된 걸 다행으로 여기는 거지. 그런데 당신, 회사에서 무슨 일 맡았어?

　—당분간은 내근이야. 석 달 뒤에는 현장으로 나가래.

　—현장이 어디지?

　—국내외 거래처야. 세상에 널린 고철을 모아서 쌓아놓고 배에 싣는 현장이래. 나도 아직 잘 몰라.

─그럼, 형님하고 만나겠네?

─아마 그렇게 되겠지. 사업상 관계로 말이야.

말이 거기서 끊어졌다. 박상희가 냉장고에서 맥주를 꺼내
왔다.

─마셔. 취직도 했으니까.

마차세는 맥주 한 잔을 끝까지 마셨다. 박상희는 마차세
가 잔을 내려놓기를 기다렸다가 말했다.

─나, 임신했어.

마차세가 박상희의 얼굴을 살피더니, 어깨 너머 벽을 바
라보았다.

─신기하구나. 니가.

마차세는 멀리서 다가오는 아버지의 환영을 느꼈다. 봉두
난발의 사내가, 고등어 한 손을 들고 절뚝거리면서 이쪽을
향해 걸어오고 있었다. '아버지, 오지 마세요, 여기는 아버지
자리가 아닙니다. 여기는 산 사람들 동네입니다……'라고 마
차세는 꿈속에서 가위눌리듯이 속으로 중얼거렸다. 환영은
산 사람들 동네의 경계선까지 오더니 등을 보이며 돌아서
저쪽으로 사라졌다. 사라지는 그림자의 손에 고등어가 들려
있었다. 마차세는 아버지의 환영에 대해서 박상희에게 말을

해줄까 말까 망설이다가 그만두었다. 마차세는 다른 말을 꺼냈다.

　—병원에 가봤어?

　—아니 아직. 안 가도 내가 알아. 틀림없을 거야.

　—느낌이 어때?

　—그걸 말하라고? 아침 해가 뜨는 것 같기도 하고 안개가 낀 것 같기도 해. 무슨 소리가 들리는 것도 같고.

　—알아듣기 어렵군.

　—나도 어려워. 공원에서 자작나무를 그릴 때 기별이 왔어. 아주 확실한 신호였지. 그림이 잘되려나 봐.

박상희가 잔을 들어서 마차세의 잔에 부딪쳤다. 마차세가 말했다.

　—딸이면 좋겠다.

박상희가 웃었다.

　—왜?

태어나지 않은 딸이 자라서 박상희가 되어서 맞은편에 앉은 모습이 마차세에게 다가왔다. 마차세는 대답하지 못했다.

　—아니, 그냥, 그저.

누니

박상희는 몸속에서 여러 색들이 합쳐지고 또 흩어지면서 다가오는 흐름을 느꼈다. 그 색들을 빨강이나 파랑처럼 사람의 말로써 규정할 수는 없었다. 색들은 구획될 수 없는 안개같이 번져 있었는데, 그것들의 흐름이 부딪치고 섞이는 자리에서 색의 씨앗들은 호롱불처럼 깜박이다가 사라졌다.

—4개월이 지났습니다. 느낌이 있으십니까?

라고 의사가 물었을 때 박상희는 말을 더듬다가 아무 대답도 하지 못했다. 내 몸 안에서 남의 몸이 생겨나 내 몸의 일부로 자라면서 남의 몸이 되어가고 있었다. 두 손을 펴서 아랫배에 얹으면, 먼 지평선을 지나는 기차의 리듬 같은 진동이 손바닥에 느껴지는 것 같기도 하고 아닌 것 같기도 했다. 그 사태를 그림으로 그리자면, 깊이를 알 수 없는 어둠이 화폭에 깔리고 그 가운데를 형태 없는 뿌연 기운이 은하수처럼 흘러가고 거기에 반딧불 몇 개가 흩어져 있는 그림이 될 것이라고 박상희는 생각했다. 그 그림을 그려서 마차세와 태어날 아기에게 보여주고 싶었지만, 몸속의 느낌이 그림으로 전달될 수 있을 것 같지는 않았다.

— 태아가 좀 큰 편이지만 정상입니다. 곧 움직임이 느껴질 겁니다.

라고 의사는 말했다.

박상희는 산부인과에서 나와서 우체국으로 갔다. 박상희는 꽘의 동서에게 편지를 부쳤다. 박상희는 봉투를 봉하기 전에 편지를 꺼내서 다시 한 번 읽었다. 박상희는 결혼식 사진을 편지 안에 넣었다. 박상희는 동서의 이름을 알지 못했다. 꽘에 전화를 걸어서 동서의 이름을 물어보기도 쑥스러웠다. 박상희는 편지 겉봉에 마장세 이름을 쓰고 괄호 안에 '부인께'라고 썼다. 편지가 꽘까지 날아가서, 모르는 사람에게 읽혀져서 새로운 관계의 단초를 열어주리라고는 믿어지지 않았다.

단전 아래쪽에 희미한 진동이 느껴질 때, 박상희는 태어날 아기가 제 아버지를 닮았을 것인지를 생각했다. 그 생각에 마장세와 사진에서 본 시아버지의 모습이 겹쳐왔다. 그 세 모습은 서로 멀리 떨어져 있었는데, 한 줄에 묶여 있었다. 줄은 좀처럼 끊어지지 않았다. 박상희는 몸속에 들어온 그 인연의 줄을 느꼈다. 박상희는 줄에 묶여서 괴로워하는 것들을 자신의 몸으로 덮어줄 수 있을 것인지를 생각했다. 몸은 몸속에 들어온 것을 받아내고 있었다. 아침에 마차세가 출근하면, 박상희는 공원에서 산책했고, 오후에는 서너 시간쯤 디자인 일을 했다. 박상희는 자주 눕고, 조금씩 자주 먹었다. 박상희는 생오이, 찐 감자, 찐 옥수수, 양파, 자두, 살구를 먹었다. 몸속에서 먼 몸이 자라고 있었다.

연말까지 남은 두 달 동안 회사 업무를 파악하고, 연초부터는 현장으로 나가라고 오장춘은 마차세에게 지시했다. 마차세는 관리부에서 받아 온 연도별 결산 보고서와 투자 계획서를 들여다보았다. 숫자의 단위를 표시하는 0들 앞에서 마차세는 현기증을 느꼈다. 콤마(,) 두 개의 앞자리는 백만이고 그 앞자리는 천만이었다. 마차세는 그 두 자리의 단위를 잊지 않으려고 애썼는데, 단위들은 그 앞으로 한없이 펼쳐져 있었다. 이 세상은 0들의 놀이터처럼 보였다.

회사는 빠르게 성장하고 있었다. 폐품들이 유통되는 단계마다 이윤이 발생해서 장부에 등재되어 있었다. 투자 계획서는 마장세와 오장춘의 면담 내용을 토대로 작성되어 있었다. 마장세의 현장 보고를 오장춘이 평가하는 형식이었다. 마장세는 남태평양의 여러 섬에 흩어져 있는 고철의 물량과 경제성을 강조했고 오장춘은 그것을 국내 판로와 연결시키는 방안을 찾고 있었다. 투자 계획서는 실무적 검증을 거치지 않은 것이었지만, 사업의 미래를 낙관적으로 전망하고 있었다. 오장춘은 이 투자 계획을 '남태평양 플랜'이라고 이름 지었고, 마차세에게 대리라는 직함을 붙여서 이 사업의 기초 조사를 맡겼다.

연초에 오장춘은 마차세를 사장실로 불렀다. 오장춘의 반말은 자리가 잡혀 있었다.

—마 대리, 이번 신규 사업에 회사의 명운이 걸려 있다. 저쪽 파트너가 당신 친형이니까 좋은 결과가 될 수 있을 거야. 그게 자네를 채용한 배경일세.

오장춘은 이미 괌에 문서를 보내서 마차세의 출장 계획을 통고했다.

—자넨 우선 물꼬를 터야 해. 장기적 득실 판단은 내가 할 테니까. 출장 기간을 넉넉히 잡아서 휴가 겸 다녀와. 형제가 오랜만에 회포도 좀 풀고.

오장춘은 '형제'를 강조했다. 마차세는 창밖을 내다보았다. 눈발이 날리고 있었다. 눈발 속으로, 한 번도 본 적 없는 남태평양과 형의 모습이 어른거렸다. 형은 뒷모습으로, 바닷가에 혼자 서 있었다.

—알았습니다. 구정 지나고 출발하지요.

라고 마차세는 대답하고 사장실을 나왔다. 마차세는 아기를 낳으려고 병원에 들어간 박상희의 전화를 기다리고 있었다.

퇴근 무렵에 전화가 왔다. 지친 목소리가 멀리서 다가왔다. 목소리가 숨소리에 실려 있었다.

—여자아이야. 울다가 자고 있어.

—곧 갈게.

마차세는 깊은 숨을 쉬었다. 여자가 나왔구나. 박상희는 딸이라는 말이 쑥스러워서 여자아이라고 말했을까. 마차세는 아마도 그러리라고 생각했다. 여자가 나왔구나, 여자가 이 세상에 나왔구나……. 자동차를 운전해서 병원으로 가면서 마차세는 자꾸만 그 말을 되뇌었다. 자동차 전조등 불빛 속에서 눈발이 나부꼈다. 눈발 위로, 세상에 막 태어난 여자의 얼굴이 어른거렸다. 아무도 닮지 않고, 스스로가 기원(紀元)인 여자, 그 여자의 얼굴이 점점 커져서 눈 덮인 하얀 세상에 가득 차는 듯싶었다.

박상희는 잠들어 있었다. 이마에 푸른 핏줄이 드러났다. 여자의 몸속에서 퍼져 나온 냄새가 병실 안에 자욱했다. 냄새는 몸에 묻을 듯이 비리고 축축했다. 마차세는 그 냄새를 깊이 빨아들였다. 박상희가 몸을 뒤채더니 눈을 떴다. 마차세가 박상희의 이마에 흘러내린 머리카락을 쓸어 올렸다. 마차세가 말했다.

—수고했어. 힘들었지?

—아기가 힘들었을 거야. 나오느라고.

—장하다.

—당신 덕이지. 낼부터 젖을 먹이래.

병실 창밖으로 눈발이 점점 더 굵어지고 있었다. 바람이 불어서 눈보라가 창문에 부딪혔다. 마차세가 말했다.

―오면서 아기 이름을 지었어.

―벌써? 뭐라고?

―누니. 눈이 오니까. 하얀 세상에 태어났으니까, 누니.

―아, 좋은 이름이네. 누니, 누니.

간호원이 아기를 안고 병실로 들어왔다.

―따님입니다. 건강한 아기예요.

아기는 눈을 감고 있었다. 아직도 어머니의 체액이 마르지 않아서 아기는 물에 불어 보였다. 숨을 쉬느라고 정수리가 발딱거렸다. 입을 오물거리면서 침을 흘렸다. 벌어진 입술 사이로 작은 혀와 잇몸이 보였다. 작은 손가락마다 손톱이 붙어 있었다. 마차세는 아기가 어려워서 만지지 못하고 말 걸지 못했다. 박상희가 말했다.

―서먹해? 잘 사귀어봐.

―차차 되겠지.

간호원이 아기를 안고 나갔다. 박상희가 불은 가슴을 부볐다. 젖이 스며서 가운이 젖어 있었다. 박상희가 말했다.

―당신 어머니한테 알려야지. 누니가 나왔다고.

―내가 다녀올게.

마차세는 서울 북쪽 외곽으로 차를 몰았다. 바람이 눈발을 옆으로 몰아붙였다. 요양원 건물은 어둠과 눈보라에 가려서 보이지 않았고, 흐린 불빛이 가물거렸다. 어머니는 그 안에 있을 것이었다. 마차세는 산부인과에 낙태하러 갔던 일을 되풀이하는 어머니의 넋두리를 생각했다.

─환자분이 증세가 심해져서 좀 전에 수면 주사를 놓았습니다. 아마 주무실 거요.

당직 직원이 복도에 불을 켜주었다. 복도는 춥고 어두웠고, 소독약 냄새가 풍겼다. 마차세는 병실 문을 열고 들어갔다. 이도순은 저편으로 누워서 잠들어 있었다.

……어머니, 접니다. 오늘 여자아이를…….

마차세는 말을 삼켰다. 돌아누운 목뒤로 이도순의 흰 머리카락이 흩어져 있었다.

린다

마차세는 괌 공항에서 팔라우 섬으로 가는 프로펠러 비행기로 갈아탔다. 비행기는 바다를 향해 이륙했다. 하늘과 물이 섞여서 수평선은 보이지 않았고 먼 섬들의 가장자리에서 거품이 일었다. 비행기는 제 그림자를 물 위로 끌면서 바다 위를 날았다. 마차세는 창에 이마를 대고 바다를 내려다보았다. 해안선이 오목한 자리마다 작은 방파제가 포구를 안고 있었다. 비행기가 고도를 낮출 때는 포구로 돌아오는 배들이 보였다. 배들은 하얀 꼬리를 끌고 있었다. 마차세는 문득 태어난 자리에 묶여서 살아간다는 것이 가볍고 하찮게 느껴졌다. 그 가벼움이 어째서 그토록 무거웠는지, 마차세는 지나간 시간이 증발하는 듯했다. 마차세는 이 난데없는 느낌이 비행기를 타고 높은 데서 아래를 내려다보는 자의 착각이라고 스스로 우겼다. 정오의 바다는 빛으로 반짝였고, 섬들은 멀리 흩어져 있어서 아무 나라도 아닌 땅처럼 보였다. 스쿠버 다이빙 가는 서양인 남녀들이 비행기 안에서 술 마시고 키스했다. 비행기가 흔들릴 때마다 여자들은 과장된 비명을 지르며 사내들에게 매달렸다.

숲에서 크고 검은 새들이 날아올랐다. 비행기는 새 떼를 쫓으면서 팔라우 공항에 내려앉았다. 공항 청사는 간이 건물이었다. 입국 로비 앞에 좌판을 벌인 원주민 여자들이 야생화를 실에 꿰어 목걸이를 만들어서 팔았다. 좌판 여자는 담배를 피우면서 우는 아이에게 젖을 물렸다. 아이는 젖을 뱉어내며 발버둥 쳤다. 서양인 남녀들이 꽃목걸이를 사서 목에 걸고 사진을 찍었다. 마차세가 처음 보는 땅이었다.

퍼시픽 파라다이스 사장 마장세는 오장춘과의 사업 계획이 진전되자 사업 거점을 괌에서 팔라우 섬으로 옮겼다. 마장세의 현지 직원 시누크가 팔라우 공항에서 마차세를 맞았다. 시누크는 '마차세'라고 한글로 쓴 피켓을 들고 있었다. 시누크는 허리를 깊이 숙여 마차세에게 인사했고 짐을 받아들었다. 시누크는 영어로 말했다.

—마장세 사장은 술이 좀 취해서 집에 있다. 여기서 삼십
분 걸린다. 타라.

시누크는 마차세를 도요타 지프에 태우고 운전석에 올랐
다. 공항 구내를 빠져나가자 곧 해안이었다. 마차세가 물었다.

—사장 부인도 집에 있는가?

—그렇다. 당신이 온다고 요리를 하고 있다.

여기서 형수를 만나겠구나, 마차세는 침을 삼켰다. 마장
세는 마차세의 결혼식장에 와서 웨딩드레스를 입은 신부
박상희를 보면서 "내 처하곤 딴판이네"라고 말했었다. 마차
세는 '딴판'이라는 말이 왠지 불길했다. 마장세는 꽝에서 결
혼한 후 자신의 처에 대해서 서울의 식구들에게 말하지 않
았다.

자동차는 해안 마을로 바짝 접근했다. 햇빛에 그을린 여
자들이 물고기를 줄에 널어서 말리고 있었다. 아이들이 마
당에 모여 앉아 불을 피우고 무언가를 굽고 있었다. 마차세
는 문득 형수가 원주민 여자가 아닐까 싶었다. 마차세는 시
누크에게 물었다.

—사장 부인은 여기 사람인가?

시누크가 룸미러로 마차세의 얼굴을 살폈다.

─아니다. 사장 부인은 혼혈이다. 그걸 몰랐나?

─어떤 혼혈인가?

─부인의 어머니는 한국 여자고 아버지는 미군이라고 들었다. 부인의 어머니는 죽었다. 형제간에 그걸, 몰랐나?

─몰랐다. 멀리 떨어져 살아서…….

─여기는 혼혈이 많다. 나도 혼혈이다.

─그런가…….

─내 엄마는 여기 여자다. 내 아버지는 일본군이다. 누군지는 모른다. 다들 죽었다.

시누크는 전방을 주시하면서 혼자서 중얼거리듯이 말했다. 마차세 들으라고 하는 말이 아닌 듯싶었다. 시누크는 몸매가 말랐고, 팔다리가 길었고, 입술이 두꺼웠고, 눈이 컸다. 마차세는 룸미러로 시누크의 옆모습을 쳐다보았다. 시누크는 섬에서 섬으로 날아다니는 새처럼 보였다. 마차세는 시누크가 친숙한 존재로 느껴졌다. 인연이 없어서 더 가까울 수도 있다고 마차세는 생각했다. '너는 새 같구나……'라는 말을 마차세는 눌렀다. 엉뚱한 말이 나왔다.

─결혼은 했나?

—안 했다. 당신은?

—나는 했다. 얼마 전에 딸을 낳았다.

—신기하다. 이 세상에 딸이 나오는 게…….

비포장도로에 웅덩이가 수없이 패었고 거기에 물이 고여 있었다. 자동차는 심하게 흔들렸다. 시누크는 웅덩이를 피하지 않고 차를 들이댔다.

—운전 솜씨가 좋구나.

—미안하다. 여기는 길이 이 모양이다. 자동차가 금방 망가지고, 부속이 없어서 고칠 수도 없다.

그렇구나, 그것이 형과 오장춘이 계획하는 사업의 포인트였구나. 마장세가 풀어놓은 중고 자동차는 빠르게 고철이 되어 여러 섬에 버려질 것이다. 마차세는 시누크가 그 포인트를 알고 있는지 물어볼 수는 없었다. 시누크가 말했다.

—그것이 마 사장님의 사업에 유리한 조건이다.

마장세의 집은 넓은 언덕 위에서 바다를 내려다보고 있었다. 땅과 물 사이에 시각 장애물이 없어서 무한감을 주는 공간이었다. 울타리가 없는 언덕 끝에 마린 블루로 칠한 목조 단층 건물이 들어서 있었다. 철망 우리 안에서 공작새가 날개를 폈고 큰 개 한 마리가 그 앞에 엎드려서 공작의 춤을 바라보았다. 진입로 오른쪽에 맨드라미가 군락을 이루며 바다에 닿았다.

마장세 부부는 현관 앞에서 마차세를 기다렸다.

—인사해. 내 동생이야.

—린다예요.

린다는 눈이 움푹했고 눈동자는 까맸다. 입술이 자줏빛이었고 손바닥이 하얬다. 서양인의 틀에 동양인의 표정이 번져 있었다. 린다는 키가 컸고 몸이 말랐다. 엄지발톱에 빨간 매니큐어를 칠했다. 맨발에 샌들을 신었는데, 발등에 살이 없어서 발가락으로 내려가는 뼈들이 골짜기처럼 드러나 있었다. 마차세는 린다가 몸속에 물기가 모자라는 여자라는 느낌이 들었다. 현관 오른쪽 마당에 야외용 식탁이 차려져 있었다.

—앉아라. 니가 온다고 해서 나 혼자 먼저 한잔했다. 많이는 안 마셨어.

식탁 위에는 마차세가 처음 보는 열대 과일과 야채, 생선구이가 차려져 있었다. 구운 생선은 아가미 아래쪽에 무지개가 펼쳐졌고 눈이 파래서 살아 있는 듯했다. 해가 내려앉아서 저무는 빛들이 바다를 덮었고 어둠이 빛에 실려 왔다. 공기 속을 떠도는 붉은 기운이 숨에 빨려 들어왔다.

—잘 왔다. 여긴 서울하고 시차가 없어서 피곤하진 않을 거다. 좀 마시자.

시차가 없는 풍경이 크고 낯설어서 마차세는 시차가 더 크게 느껴졌다.

시누크는 식탁에 앉지 않고 마당 가장자리에 설치한 화덕에서 생선을 구웠고 린다가 구운 생선을 날랐다. 린다는 짧은 바지에 흰색 블라우스를 입었다. 블라우스가 너무 커서 보자기를 감은 것 같았다. 생선 접시를 들고 오는 린다의 다리에 노을이 비쳤다. 푸른 정맥이 노을 속으로 흘렀다. 마차세는 린다가 이 섬에 표착한 난파선 선원의 딸처럼 느껴졌다. 린다가 마차세의 잔에 와인을 따르면서 말했다.

—형수가 어색하면 린다 씨라고 불러주세요. 전 그게 편해요. '형수'라는 말은 며칠 전에 한글 사전 보고 배웠어요.

마장세가 린다의 말을 거들었다.

—야, 그게 좋겠다. 형수는 무슨…….

마차세는 짐 속에서 녹차 한 통을 꺼내서 린다 앞으로 내밀었다.

—제 처가 린다 씨에게 드리는 선물입니다.

—이거 한국에서 신선들이 먹는 차라면서요.

—한국말을 잘 하시는군요.

—돌아가신 우리 엄마한테 배웠어요. 저기, 우리 엄마예요.

라면서 린다는 현관 왼쪽 유리창 밑을 손으로 가리켰다. 작은 비석 옆으로 아크릴 십자가가 세워졌고 그 둘레에 야생화가 피어 있었다. 비석에는 여자 사진이 한 장 박혀 있었고 '김애순'이라는 이름과 생몰연대가 새겨져 있었다. 비석에 따르면 김애순은 7년 전에 죽었다.

—야, 간단히 말해 줄게. 너도 여기까지 왔으니까 좀 알고 가야 하겠지.

라면서 마장세는 김애순의 생애를 말해 주었다.

마장세의 설명은 간단하고 명료했다.

김애순은 한국전쟁 때 부산에서 몸으로 미군을 받던 특수 업태부였는데, 미군 중사와 눈이 맞아서 살림을 차렸고, 전쟁 후에는 괌으로 전근하는 중사를 따라와 살면서 린다를 낳았고, 중사가 미국으로 돌아갈 때 김애순과 린다는 괌에 남겨졌다는 것이었다.

마장세가 김애순의 생애를 말할 때 린다는 화덕 앞으로

가서 생선 굽는 시누크의 일을 거들었다.

　—린다 엄마가 왜 죽었는지는 모르겠어. 린다도 잘 모르는 거 같더군. 아침에 일어나니까 죽어 있더래. 너도 더 알려고 하지 마.

　마차세가 비석을 가리키면서 물었다.

　—저게 무덤인가?

　—유골은 없어. 린다가 만들었는데, 뽑아버리라 그래도 말을 안 들어. 무슨 청승인지.

　마장세는 술잔을 들어서 깊이 마셨다.

　—야, 엄마는 좀 어때? 어렵지?

　—저대로 오래 사실 거 같아.

　—니가 고생이겠구나.

　—형은 멀리 있으니까.

　—그래 미안하다.

　마장세는 린다가 식탁으로 돌아오면 말을 멈추었고 린다가 음식을 가지러 가면 말을 계속했다.

　—야, 니가 전쟁 때 부산에서 태어났잖아. 그때 린다네 엄마도 부산에서 일했대. 내가 부산서 자랄 때 린다 엄마 같은 여자들을 많이 봤거든. 너 양갈보란 말 들어봤냐? 그땐

그 여자들이 무지 예뻐 보였어. 넌 어려서 잘 몰랐겠지. 그런 게 다 인연이 돼서 내가 여기까지 와서 린다랑 살게 됐나 봐. 그런 것도 인연이랄 수가 있을까.

마차세가 잔을 들어서 마셨다.

—좋은 인연이네.

—그래? 고맙다, 히히.

—그런데 형은 왜 여기서 살아?

—야, 그런 건 묻지 마. 난 한국이 너무 무섭고 힘들어. 넌 왜 거기서 사니?

마차세는 대답하지 못했다. 린다가 식탁에 와서 앉았다.

—이 블라우스는 내가 만든 거예요. 엄마한테서 재봉틀 쓰는 법을 배웠어요.

라고 린다가 말했다. 마을 교회에 재봉틀을 옮겨놓고 주일마다 원주민 아이들에게 재봉을 가르치고 있다고 린다는 말했다. 린다는 목이 가늘고 길었다. 말할 때 목에 힘줄이 여러 갈래로 드러나서 턱 밑과 귀밑으로 뻗었다. 마차세는 미국으로 갔다는 린다의 아버지 미군 중사의 소식을 린다에게 물어보려다가 말을 삼켰다. 저무는 해가 린다의 등에 비쳐서 블라우스 속의 브래지어 윤곽이 드러났다. 작은

가슴이었다. 린다는 남녀의 분비물이 섞여서 비롯된 생명이
아니라 바람이 불고 비가 내리듯이 저절로 빚어진 존재처럼
보였다. 사람은 아무런 연고 없이 아무 데서나 태어나고 있
었다.

마차세가 말했다.

— 형, 나 딸 낳았어. 한 달 됐어.

— 그래? 축하해. 아버지가 손녀를 봤구나.

마장세가 갑자기 죽은 아버지를 끌어들여서 마차세는 당
황했다. 마차세는 어두운 바다 쪽으로 고개를 돌렸다. 마장
세가 말했다.

— 이름은 지었니?

— 응, 누니.

— 누니? 무슨 뜻이지?

— 눈이 많이 오는 날 태어났어. 그래서 누니야.

— 마누니. 예쁜 이름이다. 하얀 세상에 태어났구나. 거기
는 눈이 많이 오지?

마장세는 '거기'를 연고 없는 땅처럼 말했다. 시누크가 램
프를 켜서 식탁 위에 매달았다. 마장세의 얼굴에서 나무 그
림자가 흔들렸다. 마차세는 마장세의 옆얼굴을 흘깃 쳐다보

았다.

—두 형제가 돌아가신 아버지 닮았다고 상희 씨 편지에서 읽었어요. 애기는 누구 닮았어요?

마차세가 말했다.

—아무도 안 닮은 것 같아요.

시누크는 식탁에 오지 않고 화덕 앞에 등을 보이고 돌아앉아 혼자서 먹었다. 시누크는 포크를 쓰지 않고 손가락으로 음식을 집어 먹고, 먹던 것을 개에게 주었다. 시누크는 개가 손가락 사이까지 핥도록 대주었다. 마장세가 시누크 쪽을 보면서 말했다.

—저자도 린다와 비슷해. 제 한 몸뿐이지. 누구의 자식도 아니야.

해가 수평선 아래로 내려갔고, 흐린 빛들이 바다 위에서 사위어갔다. 검은 새들이 숲으로 돌아가면서 날개를 퍼덕거렸고 도마뱀들이 풀섶에서 울었다.

다음 날, 마장세는 마차세를 데리고 현장으로 나갔다. 시누크가 지프를 운전해서 섬의 일주 도로를 따라서 원주민 마을을 답사했다. 비포장도로는 웅덩이가 패어 있었다. 팬

티만 걸친 원주민 사내가 길 한가운데서 팔을 벌리고 차를 막았다. 시누크가 차를 세우고 담배를 한 개비 던져 주었다. 사내는 씩 웃으면서 거수경례를 보냈다. 마장세가 조수석에서 뒤를 돌아보며 말했다.

—여기서 사업하려면 저런 자들도 잘 사귀어둬야 해. 저래 봬도 성질부리면 겁난다. 칼 들고 덤벼.

마차세는 뒷자리에 앉아서 열대우림 사이로 들어선 마을을 바라보았다. 풀과 나무를 엮어서 지은 집들은 땅에서 돋은 버섯처럼 보였다. 이 풍경에서 이윤이 발생한다는 것은 믿기지 않았다. 마을 여기저기에 고철이 된 자동차의 잔해가 널려 있었다. 폐차된 지 오래지 않은 것들에는 푸조, 닛산, 도요타, 르노 같은 브랜드 마크가 붙어 있었다. 유리창을 빼버리고 모기장을 친 차체 안에서 피부가 검은 여자가 잠든 아이에게 부채질을 했고 소나기가 쏟아지자 닭들이 차체 안으로 뛰어들었다.

마장세가 말했다.

—야, 저 자동차들이 대부분 내가 풀어놓은 건데, 저걸 다시 걷어가면서 장사를 하는 거야. 이게 이 사업의 요점이다. 간단해 뵈냐?

마장세는 시야가 터지는 지점에 차를 세우고 삼각대 위에 얹은 망원경으로 해안 일대를 관찰했고, 세밀 지도 위에 포인트를 찍었다.

—그게 간단치가 않다. 이쪽 정부하고 계약할 때 자동차 고철은 몽땅 걷어내기로 했는데, 저렇게 물속에 처박힌 걸 들어내려면 중장비 비용이 너무 들어. 너무 썩은 건 끌어가 봐야 값을 받을 수도 없고. 그러니 잘 봐서, 안 되겠다 싶은 건 물속으로 밀어 넣어서 안 보이게 해야 돼. 이게 어려운 거지.

—형, 그럼 나중에 문제되지 않을까? 배들이 드나들면서 걸릴 수도 있고.

—나중 일은 몰라도 돼. 여기서 다 해먹으면 딴 데로 갈 테니까.

마장세는 마차세를 데리고 자동차 고철 몇 개를 찾아다니면서 끌고 가야 할 것과 감추어야 할 것을 구분해서 일러주었다.

점심때 시누크는 원주민 마을에서 닭 한 마리를 사 와서 버너 불에 끓였다. 원주민 집 마당에 자리를 깔고 셋이 둘러앉아 점심을 먹었다. 시누크가 야자열매를 깨뜨려서 수액을

컵에 따랐다. 마장세가 닭다리를 뜯으면서 말했다.

―야, 한꺼번에 다 알려고 하지 마. 여기 일은 내가 알아서 할 테니까 너네 회사에서는 개념적으로만 이해하면 될 거야. 너네 회사가 현장에 너무 간섭하면 피차 힘들어져. 공급은 내가 하는 거야. 톤당 단가는 내가 오장춘 사장하고 직접 정할 테니까 넌 그런 줄 알아라.

마장세는 거래처 상대방을 대하는 말투로 마차세에게 말했다. 마차세는 형의 어조에서 형이 미리 설정해 놓은 그 거리를 느꼈다. 마차세가 불쑥 말을 꺼냈다.

―근데, 형은 오장춘을 어떻게 알아?

―그게 좀 기구해. 내가 월남전에 갔을 때 전사한 전우가 있는데, 그 친구의 형의 소개로 오장춘을 만났지. 고철 계통 동업이라서 금방 말이 통했어.

―형이 월남에서 무공훈장 받았다는 게 사실이야? 전사한 사람도 받았다면서?

마장세가 흠칫 놀라면서 먹기를 멈추고 마차세의 얼굴을 살폈다.

―너 그거 어떻게 알았니? 누가 그러대?

―오장춘한테서 들었어.

―그 자식, 입이 싸구나.

　마장세의 어조에 분노가 스며 있었다. 마차세는 마장세의 표정에 불안을 느꼈다.

　―형, 그거 알면 안 되는 거야?

　―야, 그게 아니고, 훈장이고 나발이고 별거 아니란 말야. 넌 전쟁터에 안 가봐서 설명해도 못 알아듣는다. 설명할 수 있는 게 아니야.

　마장세의 훈장과 마장세가 괌으로 이주한 것이 무슨 관련이 있는 듯도 했지만, 마차세는 그 관련의 내용을 짐작할 수 없었다. 마차세는 꺼낸 말이 쑥스러워서 입을 다물었다. 시누크가 형제간의 대화가 거칠어지는 낌새를 알아차리고, 아이스박스에서 맥주를 꺼내서 한 잔씩 따라 주었다. 바람이 잠들어서 공기는 미동도 하지 않았다. 숲과 바다와 구름이 액자 속에 담긴 듯했다. 원주민의 풀집 옆쪽으로 2차 대전 때 일본군이 만든 옥쇄 진지가 들어서 있었다. 콘크리트로 큰 무덤 같은 벙커를 만들고 그 둘레에 총구멍을 뚫어놓았다. 좁은 입구를 적군이 막으면 퇴로가 없었지만, 이 진지를 부수지 못하면 적군은 뒤통수가 위험해서 앞으로 나갈 수가 없었다. 진지 안에는 벌레나 새들이 들어올 수 없어서 지금은 말린 생선 저장고로 쓰이고 있다고 시누크가 설명했다. 옥쇄 진지 앞쪽으로 맨드라미가 피어 있었다. 빨간 꽃 속으로 열대의 폭양이 스며서 꽃은 불꽃처럼 보였다. 마차세가 말을 돌렸다.

—저게 맨드라미 맞지? 여기도 맨드라미가 있나?

태평양전쟁 때 이 섬에 끌려온 조선인 징용자들이 꽃씨와 야채 씨를 가져와서 텃밭을 일구었는데, 그 종자가 섬에 퍼진 것이라고, 시누크가 영어로 설명했다. 마장세가 말했다.

—야 시누크, 헛소리하지 마라. 꽃에 무슨 국적이 있나? 저게 맨드라민지 아닌지도 확실치 않아.

마차세가 듣기에, 마장세의 어조는 그 꽃의 종자가 한국산이 아니라고 말하는 듯했다.

점심을 먹고 나서 일행은 다시 지프에 탔다. 지프는 섬의 남쪽 해안을 따라서 달렸다. 버려진 자동차의 잔해들이 계속해서 나타났다. 마장세가 말했다.

—너, 한국에 가면 오장춘한테 보고서 내야 되지. 그거 내가 써줄게. 넌, 개념만 알고 가면 돼.

—형, 개념은 알았어. 고철을 이리저리 옮기는 거잖아.

—야, 내가 너를 오장춘한테 취직시킨 건, 이런 데서 만나

자고 한 게 아냐. 뭐가 좀 잘못됐어. 앞으론 서로 사업상 관계로 대하자. 그게 서로 편해. 내 말 명심해라.

—걱정 마. 나도 그렇게 생각하고 있어.

지프가 해안 도로의 맨 끝에 닿을 때까지 형제는 대화가 없었다. 잠이 들었는지, 마장세의 머리가 흔들렸다. 마장세가 하품을 하면서 말했다.

—그나저나, 엄마 때문에 니가 힘들겠구나.

마차세는 대답하지 않았다.

억새

이도순은 1987년 10월 4일, 서울 도봉구 북서동 에인젤 요양원에서 72세로 죽었다. 이도순은 마동수가 죽은 뒤에 8년을 더 살았다. 이도순은 그 8년 중 7년을 요양원에서 보냈다. 치매와 섬망이 겹친 말년은 느렸다.

마차세는 아침 7시에 요양원 당직 간호원의 전화를 받았다. 간밤에 마신 양주가 가짜였던지, 마차세는 두통에 시달리며 뒤척이고 있었다. 전화벨이 울릴 때, 마차세는 어머니의 죽음을 직감했다.

―이도순 님이 별세했습니다.

―아, 네……. 제가 아들입니다.

―아침 회진 때 방에 들어가 보니 돌아가셨더군요.

―아, 네…….

―주무시는 줄 알았어요. 뒤챈 흔적이 없었습니다. 장수
하셨네요.

간호원은 장례에 따른 절차를 말해 주고 나서 전화를 끊
었다.

이도순이 요양원에서 지낸 7년 동안에 마차세는 장춘무
역의 구매과 대리를 거쳐서 인사부 차장으로 승진했다. 장
춘무역과 퍼시픽 파라다이스 사이의 거래 물량은 계약 초
기보다 사십 배 이상 늘어났다. 마차세는 현장 담당에서 관
리 부서 쪽으로 전보되었는데, 마장세의 요청에 따른 것이
었다. 오장춘은 현지 물량을 장악하고 있는 마장세의 요청을
거절할 수 없었다. 마장세와 마차세가 남태평양의 현지에서
마주칠 일은 없어졌다. 장춘무역은 연매출 신장률이 200퍼
센트가 넘었고 직원 120명을 고용했고, 신산업개발 부문에
서 최우수 중소기업으로 선정돼서 산업부장관상을 받았고
국책은행으로부터 저리 융자의 특권을 받았다.

이도순이 죽던 날 장춘무역의 임금 협상이 타결되었다.

노조의 임금 인상안과 회사의 구조 조정안이 부딪치면서 협상은 5개월을 끌었다. 저녁부터 룸살롱 두 군데를 돌면서 노사 화합 파티가 열렸다. 노사 양측 간부들이 머리에 단결 띠를 두르고 룸살롱에 모여서 여자를 주물러가면서 술을 마셨다. 인사부 차장 마차세는 술자리에 끼지 못했다. 마차세는 카운터 옆방에서 술자리가 끝나기를 기다리며 혼자서 마셨다. 노사 화합 파티는 새벽 2시에 끝났다. 마차세는 법인 카드로 술값을 계산하고, 룸에 들어갔던 여자들을 모아서 팁을 주었다. 마차세는 택시를 불러서 노사 양쪽 간부들을 귀가시켰고 노조 쟁의 부장과 회사 인사 담당 이사에게 여자를 붙여서 호텔 방에 넣어주었다.

마차세는 새벽 3시에 귀가했다. 벨 소리에 깬 박상희가 잠옷 차림으로 나가서 현관문을 열어주었다.

—요즘 매일 늦네.

—오늘 임금 협상이 겨우 끝났어.

—술 먹는 게 협상이야?

—양쪽이 함께 썩어야 서로 편한 거지. 누니는 어때?

—열은 다 내렸어. 기침도 멎고. 초저녁부터 잘 자네.

누니는 주먹을 쥐고 잠들어 있었다. 마차세는 누니의 주먹을 펴주었다. 손금을 따라서 땀방울이 맺혔고, 자면서도 악력이 있어서 누니의 잠든 손이 마차세의 손가락을 쥐었다. 박상희가 말했다.

—씻지 않은 손으로 애 만지지 말고, 빨리 자.

아이도 살기가 힘든 것인지, 마차세는 자리에 누워서 손가락에 와 닿던 아이의 생명을 생각하고 있었다.

아침에 어머니가 죽었다는 전화를 받았을 때 마차세는 어머니는 오래전에 죽었고 그 소식이 뒤늦게 도착한 것 같았다. 마차세의 눈이 젖어왔다. 눈물은 메말라서 겨우 눈을 적셨다. 장수하셨습니다, 라는 간호원의 말이 귓가에 남았다. 죽음이 느리게 다가온 만큼 어머니는 장수한 셈이었다. 어머니는 느릿느릿 죽었다. 박상희는 아침을 준비하느라고 부엌에서 달그락거리고 있었다. 마차세는 거실로 나와서 소파에 주저앉았다. 마차세가 부엌을 향해서 말했다.

—여보, 어머니가 어젯밤에 돌아가셨대. 요양원에서 전화가 왔어.

박상희가 앞치마에 손을 닦으며 다가와서 마차세의 머리를 안았다. 마차세의 머리카락에 간밤 룸살롱의 담배 냄새가 절어 있었다. 박상희가 말했다.

—슬프지만, 나쁜 일은 아닐 거야. 우선 국을 마셔.

박상희가 부엌으로 가서 국을 퍼 왔다. 산나물에 모시조개를 넣고 끓인 된장국이었다. 국물은 포근했고, 술에 비틀린 창자를 적셨다. 어머니는 장수했다.

박상희는 누니의 머리채를 빗겨서 두 갈래로 땋았다. 누니는 거울을 이쪽저쪽으로 들여다보고 머리를 숙여서 가르마를 살폈다. 누니가 앞니로 실핀을 벌려서 옆머리에 찔렀다. 누니가 태어날 때 이도순은 요양원에 있었다. 누니는 할머니를 본 적이 없었다. 박상희는 누니에게 할머니를 얘기한 적이 없었다. 누니가 유치원에서 할머니라는 인간관계를 알고 와서 "우린 할머니 없어?"라고 물었을 때 박상희는 "아파서 요양원에 계신다"라고 말해 주었다.

누니는 감기가 걸려서 이틀 동안 유치원에 가지 못했다. 감기가 낫자 누니는 얼굴에 생기가 돌았고 입맛이 살아나서 잘 먹었다.

박상희는 자궁암 정기검진을 받으러 병원으로 갔고, 마차세는 누니를 자동차에 태우고 유치원으로 갔다. 부부는 요양원에서 만나기로 했다.

유치원 마당에서 여교사가 먼저 온 아이들을 데리고 춤을 추고 있었다. 여교사는 동요를 틀어놓고 아이들 앞에서 동작을 해 보였고, 아이들 대여섯 명이 여교사를 따라 춤추었다. 뒤뚱거리다가 넘어지는 아이들이 깔깔 웃었다. 누나는 아빠를 향해 손을 흔들어 보이고 춤추는 마당으로 달려갔다.

마차세는 11시쯤 요양원에 도착했다. 박상희가 먼저 와서 로비에서 기다리고 있었다.

—당신 아버지 돌아가셨을 때 생각나? 무지 추웠지. 당신 병장 때.

—아냐, 상병 때야. 땅이 얼어서 곡괭이가 튕겨졌어.

—오래전인데, 바로 어제 같네.

—어머니가 돌아가셔서 그렇게 느껴질 거야. 두 죽음이 잇닿아 있는 것처럼.

—그럴까? 죽음에도 인연이 있나?

—없을 거야. 어머니는 아버지 곁에 묻지 말라고 그랬어.

마차세는 요양원 원무과에 가서 밀린 요양비와 처치료를 정산했다. 한 달 요양비가 15만 원이었고, 치료비와 검사비는 별도였다. 형제는 요양비를 반씩 분담했다. 마장세는 자

신의 몫을 직접 요양원으로 송금했다. 팜에서 보내는 것이
아니라 서울 사무소에 지시해서 돈을 보내왔다. 마장세의
송금은 날짜를 어기지 않았다. 요양원은 장례식장을 함께
운영하고 있었다. 마장세는 장례 비용의 계약금을 치렀다.
이도순의 빈소가 차려졌고 병원 직원이 그 뒤쪽 냉동실로
이도순의 시신을 옮겨 왔다.

　—지금 확인하시겠습니까?

　—아뇨, 입관 때 하겠습니다.

　어머니에 대한 마지막 예절은 빠르고 가볍게 이승의 흔적
을 지워주는 것이었다. 죽은 어머니도 거기에 동의할 것이
었다.

　마차세 부부는 빈 빈소의 영정 옆에 앉았다. 아침에 비가
개어서 창밖으로 도봉산 선인봉에 가을빛이 선명했다. 젖은
바위가 등 푸른 생선처럼 번쩍거렸다. 마차세는 산봉우리를
한참 동안 바라보았다. 봉우리에는 삶과 죽음이 없었다. 박
상희가 말했다.

　—형님한테 알려야지?

　마차세의 정신이 산봉우리에서 어머니의 빈소로 돌아왔다.

　—알려야지. 안 오더라도. 아마 안 올 거야. 아버지 때도

안 왔잖아.

—형님은 한국이 싫은 건가, 가족이 싫은 건가?

—둘 다 무서운 거야. 아버지도 그랬어. 물려받은 거지.
난 형을 이해할 수 있어.

—당신은 어때?

—사는 자리에 무슨 좋고 싫고가 있나? 선택할 수 없는
것도 있잖아.

박상희가 팔을 뻗어서 마차세의 손을 잡았다. 박상희가
손에 힘을 주었다. 영정 속의 이도순은 흰 머리카락 한 올이
이마 위로 흘러내려 있었다.

이도순은 단신 월남해서 연고자가 없었고 문상 올 사람
도 없었다. 마차세는 회사에 전화를 걸어서 오장춘 사장에
게 어머니의 죽음을 알리고 휴가를 요청했다.

—사장님만 아시고, 회사에 말을 내지는 마십시오.

—아니 왜?

—어머니의 뜻입니다. 부탁입니다.

—그건 안 돼. 부조금은 챙겨야지.

오장춘은 회사 직원들에게 알렸고 거래처와 동업자 조합
과 유관 부서 공무원들에게 알렸다. 이틀 동안 마차세는 문

상객을 맞아 맞절을 했고 부조금을 받았다. 문상객들은 육개장을 먹으면서 불안정한 환율과 운송료 폭등을 개탄하고 돌아갔다. 하춘파는 빈소에 나타나지 않았다. 하춘파는 마차세의 월급날 회사에 나타나 용돈을 몇 번 받아 간 적이 있었다. 마차세는 하춘파가 죽은 것이 아닐까 생각했다.

발인 날 아침에는 문상객이 오지 않았다. 요양원에서 화장장을 알선해 주었다. 장의차에는 마차세 부부와 누니가 탔다. 아침에 박상희는 누니의 머리를 땋아주면서 할머니가 죽었다고 말했다.

─오늘은 유치원에 가지 말고, 엄마 아빠랑 가자.

누니는 할머니의 죽음에 별 반응을 보이지 않았다.

─어디로 가는 거야, 엄마?

─화장장으로 가는 거야.

─화장이 뭔데?

─불에 태우는 거야.

누니는 불이라는 말에 질겁을 했다. 박상희는 누니가 죽음을 생물 교과서에 나오는 개념 정도로만 이해해 주기 바랐다. 불이 그 개념을 깨뜨려서 누니를 겁에 질리게 하는 모양이었다.

─무서워하지 마. 죽은 사람은 뜨겁지 않아. 춥지도 않고.

관이 소각로로 들어갈 때 마차세 부부는 두 번 절했다. 누니는 절하지 않고 돌아서서 울었다. 마차세의 눈이 젖어왔다. 소각은 두 시간 만에 끝났다. 마차세는 어머니의 재를 화장장 납골당에 맡겼다.

화장장에서 내려오는 언덕에 억새가 피어서 바람에 흔들렸다. 억새꽃이 부풀었고, 그 속에 가을빛이 자글거렸다. 시든 줄기가 바람에 끄달리면서 바람을 버티고 있었고 꽃씨들은 바람 속으로 흩어졌다. 억새는 꽃이 아니라 꽃의 혼백처럼 보였다.

오후에 들어오는 장의차들이 줄지어 언덕길을 올라서 화장장으로 들어갔다. 장의차의 대열은 국도 분기점까지 이어졌다.

─엄마, 배고파.

누니는 아침에 토스트 한 쪽만 먹고 나왔다. 마차세 일가는 언덕 아래 국도 변 중국 식당으로 들어갔다. 누니와 박상희는 자장면을, 마차세는 짬뽕을 주문했다.

─좀 짜구나.

박상희가 자장면 소스를 반쯤 덜어내고 국수를 비벼서

누니 앞으로 내밀었다. 누니는 자장면 국수를 한 가닥씩 빨아 먹고, 입가에 묻은 자장을 혀로 핥아 들였다. 중국 식당 유리창 밖 공터에도 억새가 피어서 바람에 흔들렸다. 출렁이는 이랑 속에서 빛이 퍼져 나갔다.

사람이 죽어도 혼백에는 이승의 흔적이 묻어서 지워지지 않을 것이라고 박상희는 흔들리는 억새를 보면서 생각했다. 박상희는 그 생각을 남편에게 말하지는 않았다.

마차세는 짬뽕 국물을 들이켰다. 국물은 난폭했다. 매운 맛이 목구멍을 찔렀다. 박상희가 물었다.

ㅡ당신, 형님한테 전화했어?

ㅡ아니, 이제 하려고.

ㅡ이제? 다 끝나구서?

ㅡ그게 편할 거야. 형한테 말야.

마차세는 혼자 식당 밖으로 나가서 공중전화를 찾았다.

마장세는 섬의 남쪽 해안에서 작업하고 있었다. 물가에 처박힌 자동차 고철을 물 밑으로 밀어 넣는 작업이었다. 마장세는 보트에 강력한 모터를 붙였다. 보트를 타고 바다로 나가서 폐차에 와이어를 걸어서 당기면 폐차는 물 밑으로 가라앉았다. 어려운 작업은 아니었으나, 말이 새 나가면 현지 감독관청에서 조사를 나올 것이고, 물 밑에 밀어 넣은 고철을 다시 건져 올려서 선적해야 하는 경우가 있을 수 있었다. 그렇게 되면 중장비 대여료와 인건비가 엄청나게 들어갈 것이었다. 지방정부의 담당 공무원이 바뀌어서 초면에 돈으로 뭉개기도 쉽지 않았다. 마장세는 현지인 인부를 고용하지 않고 한국에서 데려온 인부 세 명을 데리고 작업했다. 오장춘과 사업 계약을 맺은 뒤 5년 동안 거래량은 첫해보다 사십 배가 넘었고, 섬의 고철 물량도 바닥이 나고 있었다.

오후 작업이 끝나고 마장세는 보트를 선착장에 붙였다. 마장세는 선착장에 앉아서 인부들과 말린 생선을 안주로 보드카를 마셨다. 고철 사업이 끝나면 이 섬에서 마장세가 할 수 있는 일은 없었다. 마장세는 폭양이 내리쬐는 열대의 바닷가에 혼자 앉아 있는 여생을 생각했다. 고기 떼가 지나가느라고 가까운 바닷물이 들끓었고, 거기에 노을이 비쳤다.

전화벨이 울렸다. 윙윙거리는 장거리 전화의 소음에서 마장세는 어머니의 죽음을 직감했다. 그 느낌은 태평양을 건너서, 서울에서 오는 전류 같았다. 마장세는 안주를 씹으면서 전화를 받았다.

—야, 나야. 무슨 일 있냐?

—엄마가 돌아가셨어. 지금 화장 치르고 내려가는 길이야.

마장세는 한동안 말이 없었다. 죽음에 의해서 인연의 사슬이 단절되는 것은 아닌 모양이었다. 서울과 남태평양의 섬 사이에 바다가 증발해서 한반도와 섬이 들러붙는 느낌이었다. 태평양 건너편에서 마차세가 말했다.

—형 들었어? 다시 말할까?

—들었다. 니가 힘들었겠구나. 미안허다. 돈 좀 부쳐줄게.

마장세의 대답은 아버지가 죽었을 때와 똑같았다.

마차세 일가는 시외버스를 타고 서울로 돌아왔다. 버스 안에서 누나는 잠들었다. 박상희가 마차세의 어깨에 머리를 기댔다.

—형님은 잊어버리고, 오늘은 집에 가서 일찍 자. 아주 깊이 자라고.

서울 외곽에서부터 차가 밀렸다. 차들의 후미등이 교량 위로 길게 이어졌다. 뻥튀기 장수들이 중앙선을 넘나들며 차창을 두드렸다. 택시 운전사들이 차 밖으로 나와 기지개를

켰다. 잠든 누니가 침을 흘렸다. 박상희가 누니의 침을 닦아 주었다.

마차세 일가는 저녁 8시에 집에 도착했다. 집 안은 캄캄했다. 현관에서 전기 스위치를 올리자 소파와 TV, 냉장고와 식탁, 가스레인지, 실내에 널어놓은 빨래가 눈에 들어왔다. 박상희는 졸려서 누우려는 누니를 욕실로 몰아넣었다. 누니는 손발만 씻고 제 방으로 들어갔다.

요양원 직원이 전화를 걸어와서, 고인의 유품을 처리해 달라고 말했다. 마차세는 유품 중에서 유족이 챙길 것은 없으니 병원에서 모두 소각해 달라고 말했다.

마차세의 새벽꿈에 지평선까지 억새밭이 펼쳐지고 그 너머로 어머니와 아버지의 그림자가 흘러갔다. 그림자들은 서로 부르면서, 서로 다른 방향으로 흘러갔다. 마차세는 뭐라고 지껄였는데 목소리는 가위눌렸다. 박상희가 잠꼬대하는 남편의 얼굴을 들여다보았다. 남편의 팔다리는 가늘고 피곤해 보였다. 박상희는 이불을 당겨서 그 팔다리를 덮었다.

말

유치원은 5월의 첫째 토요일을 '아빠 오시는 날'로 정했다. 유치원 정문에 '아빠 고맙습니다'라는 현수막이 걸렸다. 원아들의 아버지 20여 명이 아이들 손을 잡고 유치원 마당에 모였다. 남자들은, 제가 아무개 아빠입니다, 라고 아이들 이름으로 인사를 나누고 명함을 교환했다. 남자들은 어색하게 주빗거렸다. 어버이회장이 성금을 걷어서 원장에게 전했다. 동네 구멍가게 주인 남자는 추리닝 차림에 슬리퍼를 끌고 와서 원장이 인사말을 하는 동안에 마당에 침을 뱉었다. 전날 술 마신 남자들이 트림을 하거나 하품을 했다. 원장이 아이의 이름을 부르면, 아이가 아버지의 손을 이끌고 앞으로 나가서 인사했다. 원장이 예비군복 차림의 아버지에게 꽃을 달아주었고 사람들이 박수 쳤다. 오전에는 강당에서 아이들의 공연을 보고 유치원에서 준비한 점심을 먹고 오후에는 어린이 공원에 가서 노는 것이 하루의 일과였다. 아이들은 머리에 토끼 모자, 고양이 모자, 사슴 모자를 쓰고 무대에 나와서 교사의 오르간 반주에 맞춰서 춤을 추고 노래했다. 주말의 휴식을 빼앗긴 월급쟁이 가장들이 뒷자리에 앉아서 졸다가 박수 소리가 들리면 덩달아 박수 쳤다. 강당에 들어오지 않은 남자들은 마당에 앉아서 담배를 피웠다.

누나는 무대에서 남자아이와 이중창을 했다. 노래를 하면서 누나는 앞줄에 앉은 아버지에게 시선을 고정시켰다.

엄마 따라서 시장에 갔더니
우리나라 생선이 모두 모였네.
꽁치 삼치 멸치 준치 넙치
숭어 방어 병어 전어 민어 그리고 오징어
생선가게 아저씨 싱싱하다고 뽐내네.

만선의 고깃배들이 돌아오는 포구가 마차세의 마음에 떠

올랐다. 환영 속에서 바다에 새벽이 밝아오고 갈매기들이 고깃배를 따라오고 있었다. 내세라는 것이 있다면, 내세에는 어부가 되어야겠구나, 라고 마차세는 문득 생각했다. 환영은 금방 사라졌다. 누니의 노래가 끝났을 때 마차세는 박수를 쳤고 누니를 향해 엄지손가락을 세워 보였다. 뒤에 계신 아빠들은 졸지 마시고 마당에 계신 아빠들은 강당 안으로 들어오시라고, 더 큰 박수를 쳐주시라고 교사가 마이크로 말했다.

오후에는 노란 버스를 타고 어린이 공원으로 갔다. 공원 숲 속에서 아버지들과 아이들이 둘러앉아서 인솔 교사의 지도로 수건돌리기 게임을 했다. 손뼉 치고 노래 부르고, 아이들이 하나씩 나와서 아버지 자랑을 했다. 남자들은 박수를 치면서 멋쩍어했다. 게임이 끝나고 두 시간의 자유 시간이 있었다. 아이들은 제 아버지 손을 잡고 놀이기구 앞에 줄을 섰다. 새치기한 아이와 새치기 당한 아이가 밀치고 싸우다가 어른들끼리 말다툼을 했다. 솜사탕을 먹는 아이들 입가에 설탕이 엉겼고 그 자리에 벌들이 날아들었다. 아이들이 비명을 질렀고, 아버지들이 달려들어 벌을 쫓았다. 미아들의 이름과 옷차림, 사는 동네의 이름을 장내 아나운서가 마이크로 방송했다.

　─아빠, 나, 오줌.

　누니는 화장실을 무서워했다. 누니는 변소에는 귀신이 산다는 얘기를 친구한테서 들었다. 누니는 유치원에서 오줌을 참다가 옷에 싼 적도 있었다. 누니는 오줌을 싸고 나서는 창피해서 울었다. 누니는 귀신과 오줌을 함께 무서워했다.

　─좀 참아라.

　마차세는 누니를 데리고 공중화장실로 갔다. 마차세는 여자 화장실 앞에서 누니를 데리고 줄을 섰다. 마차세는 누니가 여자라는 걸 새삼 깨달았다. 마차세는 어리둥절했다. 줄선 여자들이 마차세를 흘깃거렸다. 누니의 차례가 되어서, 마차세는 누니의 손을 끌었다.

　─들어가 누니야. 환해서 괜찮아.

　─아빠, 무서워.

　마차세는 누니를 데리고 벤치 뒤의 나무 그늘로 갔다.

　─여기다 눠. 아빠가 보고 있을게.

　─아빠, 딴 데 가지 마.

　─그래. 천천히 다 눠라.

　누니는 돌아서서 바지를 내리고 쪼그려 앉았다. 하얀 볼

기짝 사이로 오줌이 나왔다. 쏴 소리가 났고 오줌 줄기가 땅에 부딪쳐서 흙이 튀었다. 누니가 오줌을 다 누고 일어나서 바지를 올렸다. 오줌이 퍼진 자리에 흙이 젖어 있었다. 마차세는 구두 바닥으로 흙을 비벼서 오줌 자리를 지웠다.

조랑말이 트랙을 한 바퀴 도는 데는 5분쯤 걸렸다. 아이들 열댓 명이 조랑말 타는 곳 앞에서 줄을 서 있었다.

— 누니야, 오래 기다려야 되니까 다른 거 타자.

— 싫어. 난 말 탈래.

누니는 줄 맨 끝에 섰다. 누니 차례가 오려면 40여 분을 기다려야 했다. 마차세는 가까운 벤치에 앉아서 깡통 맥주를 마셨다. 마차세 또래의 남자들이 여기저기 벤치에 앉아서 아이들의 줄을 바라보았다. 아이들이 새치기하지 않도록 보호자들이 지도해 달라고 장내 아나운서가 거듭 방송했다.

조랑말은 키가 아이들만 해서, 멀리서 보면 큰 개 정도였다. 한 바퀴 타는 데 5백 원이었다.

비쩍 마른 말이었다. 뼈와 피부 사이에 전신의 핏줄이 드러나서 말은 혈관의 표본처럼 보였다. 마차세의 눈에 말의 핏줄은 피곤해 보였다. 뿌연 갈기가 늘어져서 이마를 덮고 눈을 가렸는데 터럭 사이로 보이는 눈은 충혈되어 있었다.

마부가 아이를 들어서 안장에 앉히고 고삐를 끌었다. 조랑말은 머리를 깊이 숙이고, 눈을 가린 갈기 사이로 앞을 내다보며 터벅터벅 걸었다. 말과 아이의 그림자가 땅 위에 끌렸다. 말은 트랙을 돌아서 출발선으로 왔고, 다른 아이를 태우고 다시 출발했다. 말의 걸음은 힘이 없었다. 발굽이 땅에 닿는 소리 이외에 말은 아무 소리도 내지 않았다. 말은 트랙을 돌다가 물통에 입을 대고 물을 마셨다. 마부가 고삐를 당겨서 물이 코로 들어갔다. 말은 재채기를 했다. 말은 가끔씩 입을 벌려서 하품을 했다. 누런 이빨이 드러났고, 어금니 사이에 철제 재갈이 물려 있었다. 말은 평생을 물고 산 재갈이 아직도 힘든지 혓바닥을 길게 빼서 재갈을 뱉어내는 시늉을 했다. 재갈은 벗겨지지 않았다. 말은 늙어 보였는데, 태어날 때부터 늙은 말인 듯싶었다. 말이 아이를 태우고 출발하면, 카메라를 든 아버지들이 말 앞에서 뒷걸음치며 사진을 찍었고 말 위의 아이는 두 팔을 머리에 올려서 만세를 해 보였다. 말이 똥 덩어리를 떨어뜨리면 아이들이 깔깔대며 웃었다.

마부가 누니를 들어서 말 등에 앉혔다. 누니가 겁에 질린 표정이 되더니 곧 얼굴에 웃음기가 돌았다. 누니는 손가락 두 개를 쳐들어 보였다. 마차세는 말 앞으로 나가서 사진을 찍었다. 누니를 태운 말이 멀어져 갔다. 말 엉덩이 사이에 새카만 생식기가 쪼그라져 있었다. 말은 수말이었다.

마차세는 자신이 마씨(馬氏)라는 생각이 떠올랐다. 상병 계급장을 달고 휴가 나와서 아버지의 밑을 살필 때, 아버지의 생식기는 쪼그라져 있었다. 마차세는 아버지를 묻던 겨울의 추위를 생각했다. 말의 걸음걸이는 아주 먼 곳을 다녀오는 듯싶었다.

누니가 말에서 내렸다.

—아빠, 한 번 더 탈래.

—그만 타라. 말 힘들다. 재미있었니?

—좀 무서웠어.

—말은 용감한 사람이 타는 거다. 귀신은 없어. 넌 말 탔으니까 귀신 무서워하지 마.

누니는 집에 돌아와서 엄마 앞에서 말 타는 시늉을 하면서 하루의 놀이를 조잘거렸다. 박상희는 누니가 잠들기 전에 화장실에 데리고 가서 오줌을 뉘었다. 오줌을 누고 나서 누니는 곧 잠들었다.

마차세는 소파에 앉아서 박상희에게 낮에 본 말에 대해서 이야기했다.

—말이 늙어 보였어. 말없이 걷더군. 끝도 없이 걸었어. 수백 바퀴를.

말을 말하려니까 말이 잘 나오지 않았다. 마차세는 말이 안 나와서 킥킥거렸다. 박상희가 말했다.

—알았어, 무슨 말인지. 억지로 말하지 마.

마차세는 누니가 말 타는 폴라로이드 사진을 박상희에게 보여주었다.

—말이 주저앉을 것 같네. 애들이 이걸 타?

—타려고 줄을 서 있어.

—이 눈이 보여?

—갈기 사이로 내다보는 것 같았어. 수놈이더군. 누니가 공원에서 땅바닥에 오줌을 눴어. 편안해 하더군. 당분간 그렇게 하라고 해.

—여자아이가 어떻게 땅에다 오줌을 누나.

—아직 괜찮을 거야. 어리니까. 좀 크면 귀신이 가겠지.

새벽에, 부부는 누가 먼저인지 알 수 없이 서로 끌어안았다.

어떤 혼백은 죽어서도 저승으로 가지 않고 서울 뒷골목 여관방에 장기 투숙하면서 살아 있는 사람들의 마을을 얼씬거리는데, 이런 넋을 달래서 보내려면 사십구재(四十九齋)를 올려야 한다고 인사 담당 상무는 술자리에서 말했다. 상무는 회사 직원 대여섯 명을 모아서 불교 신자 모임을 운영하고 있었다. 마차세가 모친상을 치르고 출근하던 날 상무는 마차세에게 위로의 술자리를 마련해 주었다.

—내가 보기엔, 자네 모친한테도 그게 꼭 필요할 거야. 내가 빈소에 갔을 때 영정 사진을 보고 그걸 느꼈어. 나이 먹으면 보이는 게 있거든.

이라고 상무는 말했다. 마차세는 사십구재가 뭔지 잘 몰랐지만, 상무의 말이 어쩐지 무서웠다.

마차세는 이도순의 사십구재를 에인젤 요양원 뒷산 중턱에 있는 극락암에서 치렀다. 극락암은 소속 종단 표시가 없었고, 일주문에 성공 기원, 입시 기도, 영가 천도 전문이라는 현수막이 걸려 있었다.

마차세는 사십구재 전날 집에 남은 이도순의 유품을 정리했다. 고인의 유품을 가져와서 소각장에서 태우라고 극락암 주지가 일렀다. 이도순이 마지막까지 지니고 있던 유품은 화장 다음 날 에인젤 요양원에서 태웠고, 사십구재 때 집에 남은 것은 낡은 고리짝 한 개뿐이었다. 마차세는 다용도실 구석에 있던 고리짝을 거실로 들고 나왔다. 고리짝은 가벼웠다. 마차세는 그 가벼움이 섬뜩했다. 박상희가 물수건으로 고리짝 뚜껑에 쌓인 먼지를 닦아냈다. 박상희가 말했다.

—안 열어볼 거야?

—그냥 태우자. 열 필요 없지. 별거 아닐 거야.

—열어봐. 뭔지 알고 태워야지. 그게 도리잖아?

—도리?

마차세는 고리짝 뚜껑을 열었다. 고리짝 맨 위에는 미군 군복 상하의가 가지런히 접혀 있었다. 군복은 입던 것이었는데, 세탁이 잘 되어서 곰팡이나 벌레 먹은 자리가 없었다. 군복 상의에는 메칼린이라는 명찰과 중사 계급장이 붙어 있었다. 마차세는 어머니와 아버지가 부산에서 낙동강 물에 피 묻은 군복 빨래를 했다는 얘기를 중학교 때 어머니한테서 들은 적이 있었다. 그때 이도순은 마차세를 임신하고 있었다. 이 군복이 그때의 군복인가. 군복 중에 쓸 만한 것을 골라서 챙겨둔 것인가. 마차세는 군복 바지를 펼쳤다. 바지는 허벅지 부분이 뚫어져 있었다. 메칼린 중사는 허벅지에

총을 맞은 것인가.

군복 밑에서 '함흥교회'의 고무도장이 찍힌 축약본 신약성서가 나왔다. '믿음이 적은 자들아, 목숨을 위하여 무엇을 먹을까 무엇을 마실까 무엇을 입을까를 염려하지 말라'는 문장에 밑줄이 그어져 있었다. 성경 책갈피 사이에 부적이 접혀 있었다. 인주로 거북 무늬를 찍은 종이에 '영도다리에서 남쪽 100리 밖에 살아 있다'라는 한글이 적혀 있었다. 점쟁이가 점괘를 적어 준 글이었다. 영도다리 남쪽 100리 밖이면 대마도쯤일 터인데, 거기에 누가 살아 있다는 것인지, 이도순이 흥남부두인지 부산 부두인지에서 잃어버린 전남편과 딸이 거기에 살아 있다는 것인지, 부적은 아직도 누군가가 살아 있다고 말하고 있었다.

성경책 뒤표지에서 낡은 사진이 한 장 떨어졌다. 어린애 손바닥만 한 크기였다. 누가 찍었는지, 카메라가 멀리 떨어져 있었다. 사진 속에서 마동수와 이도순이 빨래 통 앞에 서 있었고, 그 뒤로 긴 줄에 널린 빨래의 대열이 낙동강 물과 평행선을 긋고 있었다. 피사체가 멀어서 얼굴이 잘 보이지 않았지만, 마차세가 보아온 어머니, 아버지의 표정이 사진에서 배어 나오고 있었다. 박상희는 마차세 등 뒤에서 고리짝 안의 물건을 들여다보았다. 박상희가 말했다.

　—그게 다 뭐지?

　—어머니가 남긴 부스러기들인데, 별거 아니야.

마차세는 내용물을 다시 넣고 고리짝 뚜껑을 닫았다.

극락암 주지가 번개탄 다섯 개에 불을 붙이고, 그 위에 고리짝을 올려놓았다. 고리짝에 불이 붙었다. 주지가 말했다.

　—뻔히 서 있지 말고 절을 하시오. 두 번.

마차세는 불길을 향해 두 번 절했다. 박상희가 따라서 절했다. 주지가 요령을 흔들며 영가천도경을 외웠다. 행자가 부지깽이로 불을 쑤셔서 타다 만 고리짝을 마저 태웠다. 불티가 날렸고 소각로 굴뚝에서 연기가 퍼졌다.

귀향

마장세가 미크로네시아 지방정부의 경찰에 체포되어서 구금 중이라는 소식을 마차세는 서울 남산경찰서 외사과 형사의 출석 요청을 받고서 알았다. 마장세의 국외 범죄에 대해서 국제 공조 수사가 진행 중이니 참고인으로 진술해 달라는 요청이었다. 마장세는 현지 물량을 확보하지 못해서 당분간 송출하지 못한다는 전문을 장춘무역에 보내놓고 두 달째 소식이 없었다. 마차세는 오장춘 사장에게 마장세의 일을 보고했다. 오장춘은 한동안 말이 없었다.

—아니, 무슨 일이래?

—현지에서 체포됐다는군요. 저도 그 이상은 모릅니다.

오장춘은 마차세를 노려보았다.

―자네들이 형제지간 아닌가.

오장춘의 말투는 형제가 사장 몰래 무슨 음모를 꾸미다가 현지에서 적발된 것이 아닌가를 의심하고 있었다.

―어쨌든 다녀와. 그쪽과 우리는 팔고 사는 관계지만 업무는 명확히 분리돼 있으니까, 뒤엉키지 않게 진술하라고. 자네들이 형제라서 한데 엮어서 사건을 튀길지도 몰라.

서울 남산경찰서는 죽은 마동수가 소년 시절에, 매 맞는 형 마남수를 기다리던 바로 그 자리에 있었다. 같은 자리에 5층 건물을 새로 짓고 담장 안쪽으로 나무를 많이 심어서 작은 공원처럼 보였다. 경찰서 뒷담에 붙어 있던 국밥집들 중에 몇 군데는 대를 물리면서 국밥 장사를 하고 있었다. 마동수는 자식들에게 남산경찰서에 관한 얘기를 한 적이 없었다. 마차세는 남산경찰서에서 마동수에게 어떤 일이 있었는지 알지 못했다. 마장세도 마찬가지였다.

1946년에 하춘파가 상해에서 서울로 돌아왔을 때 남산경찰서에서 불령선인들을 취조하던 일본인 경부 와타나베는 일본으로 돌아갔고, 와타나베의 고문을 거들던 한국인 보조원은 경찰에 남아 있었다. 보조원은 승진해서 경사 계급장을 달고 몇 달 전에 지방 경찰서로 전보되었다. 하춘파는 그 경사가 지방으로 전보된 사실을 알지 못했다. 하춘파는 그 경사를 죽이려고 식칼을 품고 서울 남산경찰서 정문을 들어섰다. 하춘파는 이 방 저 방을 기웃거리다가 경비병에게 붙잡혔다. 하춘파는 불능범(不能犯)으로 분류되었으나 추후에라도 경찰관서에 위해를 가할 수 있는 인물로 찍혔다. 불능범은 처벌하지 않지만, 흉기를 들고 경찰관서에 들어온 점이 문제가 되었다. 하춘파의 상해 시절 동지들이 경찰서장에게 선처를 부탁했다. 하춘파는 남산경찰서에서 닷새 구류를 살고 풀려났다. 마차세는 아버지의 빈소에서 술취한 문상객들이 떠드는 소리를 듣고 불능으로 그친 하춘파의 거사를 알게 되었다.

경찰서로 들어가면서 마차세는 하춘파의 봉두난발과 검버섯 핀 손등을 떠올렸다.

─가족이 연루된 사건은 본래 수사가 어렵소. 잘 협조해 주시오.

형사의 말투는 마차세를 참고인이 아니라 피의자로 몰아

가고 있었다. 늙은 형사는 몸이 말랐고 얼굴에 먼지가 낀 듯 뿌옜다. 꽁초의 불을 새 담배에 붙여가며 줄담배를 피웠고 재떨이에 침을 자주 뱉었다. 마차세는 문득 이 늙은 형사가, 하춘파가 죽이려던 그 경사가 아닐까 하는 생각이 들었다. 그 경사는 이미 오래전에 정년퇴직했을 것이므로 부질없는 생각이었지만, 서울 남산경찰서는 마차세와 보이지 않는 인연이 있는 듯했다.

— 4년 전에 남태평양에 출장 다녀온 적이 있구먼.

늙은 형사는 마차세의 해외여행 기록을 조회했다. 형사는 미크로네시아 경찰로부터 넘겨받은 마장세의 수사 기록을 책상 앞에 쌓아놓고 있었다. 형사가 수사 기록을 손바닥으로 내리치며 말했다.

— 이게 당신 형의 진술 내용이오. 그때 폐차 고철을 현지에서 처리하는 문제로 형제간에 어떤 얘기가 있었소?

— 형제가 아니라, 거래선으로 만난 것이오.

— 형제간이 아니란 말이오?

— 아닌 것은 아니지만…….

— 토 달지 말고, 묻는 말에 대답하시오.

형사는 마장세의 범죄 내용을 설명해 주었다. 마장세의

죄목은 사기와 배임이었다. 거기다 마약 거래 혐의가 있었다. 마장세는 남태평양의 여러 섬에 버려진 폐차 고철을 제거해 주기로 지방정부와 용역 계약을 맺고 그 고철 중 쓸모 있는 것들만 한국으로 운반해서 팔고, 수거 작업이 어려운 지점에 버려진 고철을 바닷물 속으로 밀어 넣었다. 섬의 어부들이 포구로 돌아오다가 물 밑에 잠긴 고철에 보트가 부딪혀서 빠져 죽었다. 여러 포구에서 사고가 거듭되자 섬의 관리들이 잠수부를 동원해서 물 밑을 뒤졌다. 마장세가 물 밑으로 밀어 넣은 고철은 5천 톤이 넘는 것으로 추정되었다. 마장세는 이 물량을 모두 선적한 것처럼 서류를 위조해서 지방정부에 제출했고 용역비를 받아냈다.

시누크는 마장세와 지방정부와의 계약 내용을 알지 못했다. 시누크는 현지 경찰에게 마장세의 작업을 본 대로 말했고, 한국에서 온 노무자 세 명이 마장세의 지휘를 받아서 네 달 동안 작업하고 돌아갔다고 진술했다. 시누크는 현지에서 무혐의로 풀려났다. 현지 경찰이 마장세가 임대한 선박을 수색했다. 셰퍼드가 선실 안 옷장 속에 흩어진 소량의 마약 가루를 찾아냈다. 현지 경찰은 마장세에게 마약의 출처와 행방을 추궁했다. 마장세는 진술하지 않았다. 현지 경찰은 한국으로 돌아간 노무자 세 명이 마약을 운반한 것으로 혐의를 설정하고 노무자 세 명의 인적 사항을 서울 남산 경찰서로 통고했다. 그 인적 사항은 마장세가 현지 경찰에서 진술한 것이었다. 정보가 모두 틀려서 노무자 세 명의 신원은 드러나지 않았다.

오장춘이 걱정한 대로, 경찰은 마장세의 혐의를 장춘무역 쪽으로 확대하고 있었다. 경찰은 마장세와 장춘무역의 연결 고리로 마차세를 지목하고 있었다. 형사는 마차세가 장춘무역에 입사하게 된 경위를 추궁했다. 마장세가 범행을 지속 가능한 사업으로 만들기 위해 동생 마차세를 장춘무역에 취직시켰고, 범죄 수익금의 일부가 마차세를 통해서 장춘무역으로 흘러들어갔다는 가설에 경찰의 수사 방향은 집중되어 있었다.

—당신, 현지에 출장 갔을 때, 당신 형한테 고철 처리에 대해서 이야기 들었지? 당신 형이 다 진술했어.

—얘기는 들었지만, 그게 뭔지는 몰랐소.

—들은 내용을 사장한테 보고했나?

—뭔지 몰랐기 때문에 보고하지 않았소. 그건 순전히 마장세가 한 일이오.

경찰은 장춘무역 사장실을 압수 수색해서 마차세가 오장춘에게 제출한 출장 보고서를 확보하고 있었다. 그 보고서에 마장세의 폐철 처분에 관한 작업의 일부가 드러나 있었다. 수사는 마차세에게 불리하게 전개되었지만 마차세가 공범이라는 증거는 없었다. 노무자 중의 한 명이 다른 사건으로 연행돼서 조사받다가 신원이 드러나서, 수사는 오히려 마약 거래 쪽으로 확대되었다. 마장세가 노무자 편에 보낸 마약의 일부를 오장춘이 받아서 중간 브로커를 통해서 시장에 풀었다는 정황이 성립되어 가고 있었다. 경찰이 마장세의 연고선을 추적하는 과정에서 마장세가 베트남전쟁에서 무공훈장을 받은 사실이 드러났다. 경찰은 당시의 분대원들을 탐문했다. 분대원들은 마약과는 관련이 없었지만, 베트남전쟁에서 죽은 김정팔은 적과 교전 중에 전사한 것이 아니고 마장세가 전선에서 철수하면서 사살한 것이라고 진술했다. 경찰은 첩보 내용을 군 당국에 통고했으나 군은 마장세의 전공과 김정팔의 사망 경위를 재조사하지는 않았다. 수사는 경찰이 설정한 구도대로 전개되었다.

서울 남산경찰서 외사과 형사들이 미크로네시아에 출장

가서 마장세를 한국으로 압송했다. 김포공항에는 호송차가 대기하고 있었다.

—야, 너 똥오줌 안 마려워? 두 시간 걸릴 거야. 도중에 화장실 가자고 하지 마. 뒤로 타라.

호송차 옆 유리창에 쇠창살이 박혀 있었다. 형사들은 마장세의 팔목에 수갑을 채우고 수갑 한쪽을 쇠창살에 고정시켰다.

호송차는 양화대교를 건너갔다. 한강 하구는 썰물이었다. 강 안으로 갯고랑 한 줄기가 이어졌다. 시야 너머로 사라지는 물줄기의 끝자리가 하얗게 빛났다. 마장세는 갯고랑을 멀리까지 바라보았다.

여기가 한국이로구나 싶었다. 떠나 살던 시간이 갑자기 사라져서 한국 땅에 계속 묶여 지냈던 것 같았다.

—야, 속 타냐? 물 먹을래?

앞자리에 앉은 형사가 물병을 뒤로 넘겼다. 마장세는 수갑 찬 손으로 물병을 받아서 물을 마셨다. 마장세는 갯벌에서 눈을 돌려 산 쪽을 바라보았다. 산에 저녁이 오고 있었다. 마장세는 베트남의 밀림을 생각했다. 고립된 작전 지역에서 대대본부까지 걸어가던 닷새 밤과 닷새 낮을 생각했다. 그 밀림 속에서 어째서 한사코 대대본부를 향해 걸어갔던 것인가. 왜 대대본부가 목표였단 말인가. 대대본부가 아니라면, 어디를 향해서 가야 했던 것일까. 형사가 말했다.

—니가 베트남에서 사람 죽였다는 첩보가 있어. 전쟁터에서 벌어진 일이라, 그건 건드리지 않을 테니까, 이번 일만 착실히 불어. 우리한테 다 맡기고 맘 편히 먹어라. 그게 너한테 유리해.

호송차는 시내로 들어섰다. 마장세는 차창 밖으로 저무는 서울 도심을 내다보았다. 남대문에 야간 조명이 켜지고 서울 시청, 한국은행, 세종로의 이순신 동상이 모두 그대로 있었다. 마장세는 재조사가 끝나고 검찰에 송치될 때까지 남산경찰서 유치장에 수감되었다.

경찰 수사가 마약 쪽으로 확대되자 오장춘은 회사의 현금 자산을 모두 인출해서 여러 개의 차명 계좌로 분산시켰다. 오장춘은 잠적했다. 경찰은 마차세를 무혐의 처분하고, 달아난 오장춘을 수배했다.

린다 언니에게.

마차세의 처 박상희입니다. 아직도 우리에게 편지를 쓸 만

한 인연이 남아 있는지는 잘 모르겠습니다. 하지만 인연도 어느 정도는 사람이 만들어가는 것일 터이고 아무리 실낱같은 인연도 말길을 열 수 있는 통로는 될 수 있다고 생각합니다.

지난가을에 마씨 형제의 어머니, 그러니까 언니와 저의 시어머니가 돌아가셨습니다. 소식 들으셨을 줄 압니다. 한 생애 전체가 고통이었고, 그 고통이 끝나가는 과정을 더 힘들어하셨는데, 돌아가시고 나니까 저희들은 슬픔 속에서 오히려 편안해하고 있습니다. 장례 때 마장세 님은 오시지 못했지만, 비용을 보태주셔서 무사히 치렀습니다. 장례를 치르고 나니 부의금이 오히려 남아서 살림에 보태 쓰고 있습니다.

이제 시부모 두 분이 모두 돌아가셨습니다. 인연의 무게가 줄어들어서 마씨 집안의 두 형제가 홀가분해졌겠지요.

아주버님은 며칠 전에 한국으로 들어와서 남산경찰서에서 조사를 받고 있습니다. 마장세 님의 혐의에 마약 거래가 추가되는 모양입니다. 변호사를 선임하는 문제를 그 회사의 서울 사무소 사람들이 협의하고 있다는데, 저의 남편은 이런 일에는 별 도움이 되지 않습니다. 한국에서는 마약 관련 범죄를 엄격히 다루고 형량도 무거운 편이라고 합니다.

시어머니 시신을 화장하던 날은 하늘이 높고 바람이 잔잔해서 연기가 곧게 올라가서 멀리 퍼졌습니다. 저는 결혼 후에 한 번도 시아버지 제사를 지내지 않았고, 제사 지내는 법도 모르지만, 이제 시부모님 제사를 지내야겠다고, 화장하던 날 흩어지는 연기를 보면서 생각했습니다. 저의 남편도 제 생각에 동의했습니다. 시어머니와 시아버지를 같은 제사상에 모시면 서로 힘들어할까 봐 걱정이지만, 삶이 이미 끝났는데 원한이 남아 있을 리는 없겠지요.

저는 지금 두 번째 아이를 임신 중입니다. 출산을 6개월 정도 남겨놓고 있어요. 마장세 님의 형기는 길어질지도 모르겠습니다. 그 점을 알려드립니다.

박상희 드림

박상희는 남태평양 미크로네시아 군도 근처 팔라우 섬 주소지로 편지를 보냈다. 15일 후에 편지는 '수취인 불명'의 스탬프가 찍혀서 되돌아왔다.

봄

오장춘은 잠적한 지 열흘 만에, 동부전선이 가까운 강원
도 소읍의 여관방에서 시체로 발견되었다. 오장춘은 발견되
기 이틀 전에 투숙했는데, 방 밖으로 나오지 않았다고 종업
원이 진술했다. 방 안에는 타버린 연탄재가 식어 있었고 소
주병 두 개가 쓰러져 있었다. 경찰이 현장에 도착했을 때 방
문 앞에 벗어놓은 구두가 낙엽에 덮여 있었다. 오장춘이 도
청 소재지에서 빌려 온 렌터카가 여관에서 가까운 농로에
서 발견되었다. 경찰은 오장춘이 평소에 쓰던 차를 버리고
강원도 쪽으로 갔다는 첩보를 입수하고 그 지역 렌터카 회
사들의 거래 장부를 뒤졌으나 오장춘은 가짜 주민등록증을

보이며 차를 자주 바꾸어서 선이 이어지지 않았다. 오장춘은 동부전선 산악 고지에서 군복무를 했다는 것 이외에는 강원도에 아무런 연고선이 없었다. 오장춘의 죽음은, 신문에 1단짜리 기사로 보도되었다. 마차세는 오장춘이 전방 부대 근처에 가서 죽었다는 기사를 읽었다. 마차세는 상병 때 정기 휴가를 얻어 출발하던 날 용돈을 내밀던 오장춘을 생각했다. 그때 오장춘은 그 돈에 대해서 아무런 자괴감이 없었다. 마차세는 말라서 버스럭거리던 가을의 산맥을 떠올렸다. 산맥이 아직도 그 자리에 솟아서, 동해 쪽으로 뻗어 나가고 있을 것인지를 생각했다. 경찰은 오장춘이 강원도에 마약 거래선을 깔아놓은 것이 아닌지 의심했으나 단서를 찾을 수 없었고 오장춘이 왜 동부전선 쪽으로 가서 죽었는지는 알 수가 없었다. 유서는 없었지만 경찰은 오장춘의 죽음을 자살로 결론짓고 사건을 종결했다. 오장춘의 범죄는 '기소권 없음' 결정으로 소멸했다. 가족이 나타나지 않아서 오장춘의 주검은 무연고 변사체로 처리되었다.

오장춘은 숨어 다니는 동안 한 번도 회사에 연락하지 않았다. 형사들이 회사 간부들의 전화 통화 내역을 검색했으나 오장춘의 흔적은 없었다. 장춘무역은 오장춘 개인에 의

해 경영되고 있었고 승계 구도를 가지고 있지 않았다. 노조
는 법무법인에 의뢰해서 회사를 청산했다. 잔여 재산으로
거래처 미불금을 갚고 급여와 퇴직금을 정산했다.

장춘무역이 폐업하던 날 마차세는 사물을 챙겨서 대낮
에 회사를 나왔다. 퇴직금을 받아 든 직원들은 조용히 흩
어졌다.

마장세는 10월 말께 검찰로 송치되었다. 부산 마약 조직
남만사(南蠻司)의 유통망이 오장춘에 선을 대고 있었다. 남
만사 지휘부는 6개월 전에 검거되었다. 마장세가 국내로 반
입한 마약은 남만의 선을 타고 경남 지역에 유통되었고, 대
금은 또 다른 선을 타고 서울에서 결제되었다. 경찰은 마장
세, 오장춘, 남만사를 계보로 엮어서 혐의를 설정했다. 마장
세는 남만과의 연루를 부인했으나, 경찰은 '법정에 가서 말
하라'며 마장세의 혐의를 밀어붙였다.

마장세가 송치되기 전날, 마차세는 서울 남산경찰서 유치
장에서 마장세를 면회했다. 형제는 쇠창살을 사이에 두고
만났다. 경찰관이 입회했다.

'면회자가 왔다'는 통고를 받았을 때 마장세는 마차세가

온 것을 직감했다. 가족 이외에는 면회가 허락되지 않았는데, 서울에 피붙이는 마차세뿐이었다. 마차세는 먼저 면회석에 앉아서 마장세를 기다렸다. 마장세는 감방 복도 모퉁이를 돌아서 다가왔다. 수염이 자랐고 몸이 말라서 옷이 헐렁했다. 걸음걸이가 끌리는 듯했고 나이보다 한참 늙어 보였다. 마차세는 멀리서 아버지가 다가오는 듯한 환영을 느꼈다. 어느 변방을 겉돌고 헤매는지, 두어 달 만에 한 번씩, 겨울이면 새벽에 기침을 쿨럭이며 집으로 돌아오던 아버지의 걸음걸이가 마장세의 걸음에 옮겨 와 있었다. 형은 아버지를 피해 다니다가 아버지의 모습으로 돌아온 것인가. 마장세는 다가와서 쇠창살 건너편에 앉았다. 마차세는 시선을 내리깔고 마장세를 바라보았다.

—형, 나 왔어.

마장세의 얼굴에 흐린 그림자가 스치고 지나갔다.

—그래, 왔구나. 안 와도 되는데······.

마장세는 고개를 돌려서 마차세의 시선을 피했다.

피난지 판자촌에 불이 났을 때, 잠든 마차세를 두들겨 깨워서 밖으로 뛰쳐나오던 새벽이 마장세의 기억 속에 떠올랐다. 널빤지가 타고 불꽃은 맹렬했고 불티가 날려서 산비탈을 뒤덮었고, 하늘에 보름달이 떠 있었다. 마차세의 손을 잡아끌어서 비탈을 내려올 때 마장세는 옥죄이는 혈연의 사슬을 느꼈다.

사슬을 끊어야 하는데, 그 속박에서 벗어날 수 없을 것이라는 예감에 마장세는 결박되어 있었다. 다시, 묶여서 서울로 돌아와 유치장 쇠창살 사이로 마차세를 마주 대하니까, 마장세는 불길 속에서 갈팡질팡하던 그 새벽의 시간으로 붙잡혀 와 있는 듯했다.

유치장 배식구 밖으로 빈 식판이 나와 있었고, 거기에 밥알이 말라붙어 있었다.

―형, 밥은 잘 먹나?

라는 말이 마차세의 입에서 저절로 흘러나왔다. 마차세는 그 말의 한심함에 스스로 놀랐다.

―그래, 여기 밥도 괜찮아.

마장세가 마차세의 어조를 따라왔다. 마차세는 마장세의 말이 한심해서 또 놀랐다. 마차세가 눈을 들어서 마장세의 얼굴을 쳐다보자 마장세가 고개를 숙였다.

―형, 오장춘이 죽었다. 자살했어.

―그랬구나.

마장세의 눈이 긴장했다. 마장세가 물었다.

—언제 죽었니? 잡히기 전에?

—도망 다니다가 자살했어. 나하고 오장춘이 군대 생활하던 동부전선 쪽에 가서 죽었어.

마장세가 길고 조용한 숨을 내쉬었다. 오장춘이 경찰에 잡히기 전에 죽었다면 혐의의 연결 고리가 끊어지니까 사건은 마장세에게 유리하게 전개될 것이었다. 마장세는 오장춘의 죽음에 안도하고 있을 것이라고 마차세는 생각했다. 마장세가 무던한 목소리로 물었다.

—왜 그 전방으로 가서 죽었대?

—몰라. 죽은 놈이 알겠지.

마장세가 또 물었다.

—회사는 어떻게 됐나? 장춘무역 말이야.

—며칠 전에 문 닫았어. 청산됐어.

—니가 힘들겠구나. 또 힘들겠어. 네미.

'니가 힘들겠구나'라는 마장세의 어조는 오래전과 똑같았다. 그 어조는 힘듦을 객관화해서 밀쳐내고, 거기에 간여하지 않겠다는 말로 들렸다. 마장세는 그 말을 긴 호흡에 실어서 천천히 발음했다.

그럼 앞으로 뭘 할 거냐, 새 직장은 알아봤냐? 따위의 말을 마장세가 꺼내지 않기를 마차세는 바랐다. 마장세는 그 말을 꺼내지 않았다.

마차세가 물병을 들어서 물을 마셨다. 마차세가 말했다.

—형, 내 처가 형수한테 보낸 편지가 수취인 불명으로 돌아왔던데…….

마장세가 머뭇거리더니 대답했다.

—그랬구나. 그랬을 거야. 내가 그쪽 경찰서에 갇혀 있을 때 린다가 달아났어.

—달아나?

—시누크 알지? 내 조수. 시누크랑 눈이 맞았어.

—시누크랑?

—눈이 맞았으니까 배가 맞았겠지. 둘이서 더 먼 섬으로 갔대. 거기가 시누크의 고향이거든. 둘이 잘 맞을 거야. 근본이 없는 연놈들이니까. 잘됐어. 난 누가 누구에게 속한다는 걸 인정할 수 없어. 집은 몰수당했어.

마장세는 메마른 어조로 주절거렸다. 말투에 아무런 감정도 실려 있지 않았다. 피난지 부산에서 양갈보 노릇을 했다는 린다 어머니의 묘비가 마당에 서 있던, 바닷가의 마린 블루색 집을 마차세는 떠올렸다. '그 묘비는 어떡했어? 파묻었나?'라고 물으려는 말을 마차세는 참았다. 입회 경찰관이 벨을 누르고 3분 안에 면회를 끝내라고 말했다.

—그럼 가봐라. 면회 오지 마. 힘들다.

마장세는 돌아서서 어두운 복도 끝 쪽으로 걸어갔다. 마차세는 지갑에서 10만 원짜리 수표 한 장을 꺼냈다. 바지 주머니에 만 원짜리 두 개가 들어 있었다. 마차세는 12만 원을 영치금으로 접수시키고 경찰서 밖으로 나왔다. 저녁 거리에 불이 켜지고 길은 자동차들로 막혀 있었다.

박상희는 아파트 단지 입구 상가에 20평짜리 점포를 얻어서 옷 가게를 열었다. 책과 학용품을 팔던 자리여서 내부 수리가 수월했다. 마차세의 퇴직금은 박상희의 개업에 투자되었다. 박상희는 옷 가게 이름을 '누니'라고 정하고 영문 표기 'noonee'를 병기했다. 간판이 걸리자 누니는 좋아했다.

박상희는 일주일에 두 번씩 동대문의 새벽 의류 시장에 가서 여자들의 옷을 골라 왔다. 한 번 갈 때마다 두어 점씩 사왔다. 값이 싸면서도 우아하고, 단순하면서도 이야기가 들어 있는 옷을 박상희는 골랐다. 옷이 팔리느냐 아니냐는 오직 옷을 골라내는 감식안에 달려 있었다. 옷을 고르면서, 박상희는 아파트 단지를 드나드는 여자들을 한 사람씩 떠올리면서, 저런 여자는 이런 옷을 사 가지 않을까를 생각했다. 옷을 골라 와서 가게 진열장에 걸 때 박상희는 그 옷에 어울리는, 알지 못하는 사람이 생각났다. 만난 적 없는 사람들이 선명히 떠올랐다. 앞섶에 레이스가 달린 흰색 블라우스나 폭이 출렁거리는 마린 블루 치마를 들여다보면 옷은 한 생애를 치러 나가는 사람처럼 보였다. 등 뒤로 단추가 촘촘히 달린 올리브색 원피스는 그 옷을 입을 때 뒤에서 단추를 채워주는 남자를 떠오르게 했다. 색과 디자인은 저마다 제가끔 누군가 사람을 부르고 있는 듯했다. 박상희는 옷 가게를 하려고 대학에서 미술 공부를 했던가 싶어서 혼자서 웃었지만 그 또한 별로 나쁜 일은 아니지 싶었다. 옷은 일주일에 서너 점 팔렸고, 환절기에는 좀 더 팔렸지만, 마진이 커서 생활비를 벌 수는 있었다. 박상희는 진열장 안의 옷을 자주 바꾸어 걸었다. 옷을 바꾸어 걸면서 박상희는 모르는 손님을 기다렸다.

12월 20일은 마장세와 마차세의 아버지 마동수의 기일(忌

日)이었다. 마동수는 1979년에 죽었는데, 마차세는 마동수를 제사 지내지 않았고 마동수도 그 아버지를 제사 지내지 않았다. 마차세는 제사를 보도 듣도 못했다.

옷 가게를 개업한 지 한 달 후에 박상희는 남편을 몰아세워서 마동수의 제사를 지냈다. 박상희는 시아버지 제사를 지내야겠다는 얘기를 린다에게 보낸 편지에 썼는데, 그때 편지에 왜 그런 말을 했는지를 분명히 설명할 수는 없지만, 마음의 깊은 바닥에 깔려 있던 얘기인 것은 틀림없었다. 박상희는 그 마음의 바닥을 스스로 설명할 수 없었다.

박상희의 집안도 대대로 제사를 지내지 않았다. 박상희는 제사에 관해서 아는 것이 없었다. 박상희는 여성 잡지 부록에 실려 있는 간편한 가정의례 설명을 읽었다. 박상희는 시어머니 이도순을 함께 모셨다. 조기구이, 김구이, 쌀밥, 국, 사과, 배를 차려놓고 수저를 두 벌 올려놓았다. 마차세는 백지에 한글로 '아버지 마동수, 어머니 이도순'이라고 썼다. 마차세는 부모의 이름이 적힌 백지를 상 앞에 붙였다.

마차세가 향에 불을 붙이고 술잔을 채웠다. 마차세와 박상희가 나란히 서서 두 번 절했다. 무릎을 꿇고 허리를 굽힐 때 박상희의 임신한 배가 눌렸다. 누나가 따라서 절했다. 마차세가 부모의 이름이 적힌 백지를 촛불에 태웠다. '마동수'와 '이도순'이 아래쪽에서부터 타들어가면서 불꽃을 일으켰다. 불꽃이 사위면서 재가 날렸다. 누나가 젓가락으로 날리는 재를 휘저으며 장난을 쳤다. 박상희가 누나를 말렸다. 누나가 물었다.

―아빠, 왜 종이에서 불이 나와?

마차세는 설명하지 못했다. 절을 마치고 마차세는 제사 술을 마셨다. 차가운 사케는 날카로웠다. 마차세가 마시던 잔을 누나에게 내밀었다.

―너도 좀 먹어봐. 할아버지가 주는 술이다. 이걸 먹으면 복 받는단다.

누나가 술잔에 입술을 대더니 얼굴을 찡그렸다.

―써. 안 먹어.

봄에 마장세는 1심에서 징역 3년을 선고받았다. 마장세는 항소를 포기했다. 형이 확정되자 마장세는 전라남도 남해안 소도시의 교도소로 이감되었다. 마장세의 국선변호인이 통

지문을 보내서 소식을 알려왔다. 마차세는 그 교도소가 있는 소도시에 가본 적이 없었다. 마장세로부터는 편지가 오지 않았다.

봄에 누니는 학교에 들어갔고, 화장실 무섬증에서 벗어났다. 누니는 밤중에도 혼자 화장실에 가서 오줌을 누었고 학교 화장실도 무서워하지 않았다. 이 세상에는 귀신이 없다는 것을 누니는 혼자서 깨달았다.

봄에, 박상희는 가게의 옷을 모두 바꾸었다. 헐거워서 편안한 살구색 블라우스와 허리에 리본을 매는 꽃무늬 치마를 진열장에 걸었다. 봄에는 매출이 늘었다. 옷을 사지 않더라도 여자들은 가게에 들러서 오랫동안 이 옷 저 옷을 만져보고 거울 앞에서 몸에 대보았다.

마차세는 세 군데 무역 회사에 입사 지원했다. 장춘무역에 근무한 기간을 입사 지원서 경력란에 써넣었다. 세 군데 회사에서 추후 연락할 테니 기다려달라는 통지가 왔다. 추후가 언제인지는 기약이 없었다. 마차세는 우선 전에 근무하던 물류 회사의 배송 기사로 취업했다. 취직이 될 때까지만 부업 삼아 일하기로 하고 임시직으로 들어갔다.

봄에 마차세는 오토바이를 타고 거리로 나왔다. 마차세는 서울 남부 순환 도로에서 동부 순환 도로로, 외곽 도로에서 중앙 도로로 하루 종일 달렸다.

〈끝〉

이 작은 소설은 내 마음의 깊은 바닥에 들러붙어 있는 기억과 인상의 파편들을 엮은 글이다.

그 기억과 인상들은 오랫동안 내 속에 서식하면서 저희들끼리 서로 부딪치고 싸웠다. 사소한 것들의 싸움을 말리기가 더욱 힘들었다.

별것 아니라고 스스로 달래면서 모두 버리고 싶었지만 마침내 버려지지 않아서 연필을 쥐고 쓸 수밖에 없었다.

당대의 현실에서 발붙일 수 없었던 내 선대 인물들에게서 들은 이야기와 그들의 기록, 언행, 체취, 몸짓, 그들이 남긴 사진을 떠올리면서 겨우 글을 이어나갔다. 이 글을 세상에 내놓으면서, 나는 그 기억과 인상들이 이제는 내 속에서 소멸하기를 바란다.

더 길게 쓰고 싶었지만, 기력이 미치지 못했다. 수다를 떨지 말아야 한다고 늘 다짐하고 있다. 쉬운 일은 아니다.

나의 등장인물들은 늘 영웅적이지 못하다. 그들은 머뭇거리고, 두리번거리고, 죄 없이 쫓겨 다닌다. 나는 이 남루한 사람들의 슬픔과 고통에 대해서 말하고 싶었다.

지난 몇 년 동안, 늙기가 힘들어서 허덕지덕하였다. 의료비 지출이 늘어났다. 지금은 조금씩 좋아지고 있다. 길고 어두운 터널을 지나온 느낌이다. 여생의 시간을 아껴 써야 할 것이다.

2017년 설에 나는 쓰다
—김훈

39쪽   박태원 작사, 〈독립행진곡〉

66쪽   일제 강점기에 경찰서에서 매 맞고 나온 사람들이 해장국을 먹는 대
　　　목은 독립운동가 정화암(鄭華岩, 1896~1981) 회고록 『이 조국 어디로
　　　갈 것인가』(1982, 자유문고) 12쪽에 실린 몇 줄의 문장에 근거했다. 정
　　　화암의 글은 다음과 같다.

　　　　……이른 새벽에 경찰서를 나오니 여름인데도 찬 기운이 엄습하고 긴장
　　　　이 풀리자 피로가 한꺼번에 겹쳐 왔다.
　　　　시장기를 면하려고 이문설렁탕집을 찾아 들어갔다. 종로서에서 매 맞고
　　　　피투성이가 되었던 사람들이 많이 모여 있었다. ……

78쪽   '人生何其支離乎'는 정화암 『이 조국 어디로 갈 것인가』 179쪽에 나
　　　온다.

91쪽   유호 작사, 〈전우야 잘 자라〉

92쪽   임화 작사, 〈인민항쟁가〉

112쪽 역사학자 김성칠(金聖七, 1913~1951)의 6·25 일기 『역사 앞에서』(2013,
　　　창비) 197쪽에 실린 인민군대의 식량 운반 돌격대에 관한 기사를 문
　　　장을 바꾸어서 옮겨 왔다.

116쪽 한국전쟁에 관한 기술은 해당 기간 중에 발행된 《부산일보》 《조선일보》 기사와 정부 발표문들, 그리고 내 선친으로부터 들은 이야기들을 바탕으로 했다.

136쪽 '이도순'이 낙태하러 산부인과에 가는 대목과 이도순의 치매 증세 대목은 졸작 단편 「고향의 그림자」에서 한 페이지쯤 옮겨 와서 바꾸어 쓴 글이다. 「고향의 그림자」의 한 부분이 이 소설의 밑그림이 되었다.

152쪽 나는 2012년 2월, 미크로네시아의 여러 섬들을 여행했다. 섬의 자연 풍광은 몽환적이었고, 원주민들의 삶의 모습은 충격적이었다. 나는 그때의 인상을 졸작 산문 「남태평양」(『라면을 끓이며』에 수록)에 썼는데, 이 소설에서 그 글의 몇 줄을 끌어다 새로 썼다. 그때의 여행에서 이 소설의 한 부분을 얻었다.

공터에서

초판 1쇄 2017년 2월 1일
초판 16쇄 2021년 3월 25일

지은이 | 김훈
펴낸이 | 송영석

주간 | 이혜진
기획편집 | 박신애 · 김혜영 · 심슬기
외서기획편집 | 정혜경 · 송하린 · 양한나
디자인 | 박윤정 · 기경란
마케팅 | 이종우 · 김유종 · 한승민
관리 | 송우석 · 황규성 · 전지연 · 채경민

펴낸곳 | (株)해냄출판사
등록번호 | 제10-229호
등록일자 | 1988년 5월 11일(설립일자 | 1983년 6월 24일)

04042 서울시 마포구 잔다리로 30 해냄빌딩 5·6층
대표전화 | 326-1600 **팩스** | 326-1624
홈페이지 | www.hainaim.com

ISBN 978-89-6574-587-7